タイムライン

時間に触れるための
いくつかの方法

TIMELINE:
Multiple measures
to *touch* time

謝辞
本プロジェクトの実施にあたり、出展作家の方々、貴重な作品を貸与されたイダショウイチスタジオおよび豊田市美術館、調査に
協力くださった諸機関ならびにお名前を記すことのできなかった皆様方に深く感謝を申し上げます。また、特にお力添えをいた
だいた下記の方々に深く感謝の意を表します。(順不同／敬称略)

釋和子　大野綾子　ミルク倉庫＋ココナッツ
中村史子　金井直　小池一子　住友文彦　牧口千夏
石井琢郎　鈴木俊晴　成瀬美幸　西﨑紀衣　森直義

凡例
– 本書は、2016年より開始した「タイムライン――時間に触れるためのいくつかの方法」プロジェクトの記録集である。
– 本文中の「タイムライン」展は、2019年4月24日から6月23日まで京都大学総合博物館で開催した「京都大学総合博物館
　　2019年度春季企画展『タイムライン――時間に触れるためのいくつかの方法』」を示す。
– 所属・役職は展覧会開催当時のものである。
– 各作家解説、井田照一の作品調査、大野綾子およびミルク倉庫＋ココナッツのスタジオ訪問は田口かおりが執筆した。
– 加藤巧の制作過程は加藤が、土方大の制作記録は土方が執筆した。

序

「タイムライン——時間に触れるためのいくつかの方法」プロジェクトがゆるやかに走り出したのは、2016年頃のことである。事のはじまりは、作家の加藤巧と修復士の田口かおりが現代美術の保存と修復をめぐって意見を交わし、そこに対話が生まれたことにあった。現代美術の多様な生の在り方について「つくること」と「なおすこと」の二つの領域に立つ私たちが——この整理はいささか物事を単純化しすぎてはいるが——もっとも話したかったこと、それは、「現代美術の経年変化をいかに捉えるか」であった。

いうまでもなく、現代美術の保存と修復は、近代以前に制作された美術作品のそれとは異なる課題をいくつも抱えている。素材の選択肢が広がり、技法は多様化し、そのなかで作品に訪れる物理的かつ外観的な変化は、保存修復に携わる人間や作品が収蔵される各種ミュージアムの研究員および学芸員、時に作家本人の予測をも超えて現れることになる。使用された素材の特性上外観が短期間で変化するもの、ゆるやかに変化するもの。再展示が不可能なもの、繰り返される再制作や構成物の一部の置換によって成立するもの。そこには、私たちが普段の生活のなかで当たり前に意識するような過去から未来へ伸びる直線的で不可逆的な時間のみならず、さまざまな時間の在り方を見出すことができる。

現代美術の保存修復について考える試みは、上記の対話が始まった前年より、科学研究費助成事業研究「現代美術の保存と修復——その理念・方法・情報のネットワーク構築のために」（日本学術振興会・基盤研究（A）研究代表者：岡田温司）においても積極的に試みられてきた。ここでは、国内外から保存修復に携わる関係者を招聘して対話の場を設け、現代美術を制作する作家の声に耳を傾け討論するなど、研究に参加する人々の輪から数々のシンポジウムや研究会が開催される運びとなった。複数の事例研究も同時に進行した。この頃、田口は井田照一《Tantra》の調査と保存処置を行なっており、制作に使用された複合的な素材を作品の裏面に「記録」していた井田の態度を発見し、光学調査を通じて明らかになった井田作品の経年変化について検証する機会を得ている。加藤もまた、自身の制作技法と「補彩」の修復技法との共通性や、作品の予防的な修復をめぐる概念についての考察を続けていた。

現代美術の「生」はどのように展示され、保存され、修復され、記録されうるのか。美術作品の「時間」について、より多くの人々と共に考える場を設けることはできないだろうか。検討を重ねる過程で、田口と加藤の間で「展覧会」の形が徐々にイメージされるようになった。とはいえ、展覧会という骨組みのなかでいかに現代美術の「生」を展示し記述していくべきなのか、長い模索が続き、「タイムライン——時間に触れるためのいくつかの方法」の名を冠した展覧会の開催までには、それからしばらくの時間が必要とされることになる。ささやかな幸運も重なって、京都大学総合博物館で「タイムライン——時間に触れるためのいくつかの方法」展は、2019年4月24日に幕を開けた。

本書は、2016年から続いてきた現代美術の「生」をめぐる考察と、その集大成として開催された「タイムライン——時間に触れるためのいくつかの方法」展の全貌を記録するために制作されたものである。展覧会開催前から開催後までの文字どおり時間（タイムライン）の流れをなぞりつつ、搬入出の行動記録、関連シンポジウムの詳細、対話の記録、リサーチの成果、展覧会開催時のステートメントなどを可能なかぎり収録した。展覧会実行委員の岡田温司、武田宙也、田口かおりの小論に加え、現代美術の収蔵展示に携わる当事者の視点を頂きたく、愛知県美術館学芸員の中村史子氏にご寄稿頂いた。なお、作品の情報を現在可能な範囲でオープンソース化する試みとして、頁の都合上本書に掲載できなかった分析成果や作家との対話、一部作品の取り扱い仕様書については展覧会ウェブサイト上で引き続き公開している（http://artandarchive.com/timeline/）。

対話から始まった本プロジェクトが新たな対話を生む場をつくりだすことを願いつつ、本書の刊行のために力を貸してくださったすべての方々に、心からの感謝を申し上げる。

東海大学情報技術センター講師
修復士
タイムライン展実行委員
田口かおり

TIMELINE: Multiple measures to *touch* time

タイムライン── 時間に触れるためのいくつかの方法

私たちは、「時間」とさまざまな形で関わりながら、生活をしています。私たちが生まれ、成長し、老いて、やがて死んでいくことを考えれば、流れている時間と無関係でいられる人はいないでしょう。

芸術作品の誕生と喪失は、しばしば生き物の命のありようと重ねて語られてきました。作品は「生まれ」、時に「成長」「成熟」し、やがて「老い」て「死ぬ」のだ、と言うように。しかし、私たちは、ふと立ち止まり、考えはしないでしょうか。はたして、芸術作品の生は、人間の命と同じような軌道を描いているものだと言い切れるのか、と。

近現代になって美術の世界に訪れた素材と技法の多様化は、芸術作品の生をありとあらゆる形に変容させてきました。プラスチック、ポリエステル、瓶や缶、ヴィデオやテレビ、みるみるうちに溶けたり消えたりしてしまう短命なエフェメラル素材たち、あるいは時を超えて再び現れ新たに見出された伝統的な絵画の材料。複合的な作品の成り立ちを指す語としてよく私たちが耳にする「ミクストメディア」や「インターメディア」は、今やすっかり広く世に知られるようになりました。しかし、実際にそこでどんな「モノたち」ミクストが混交され、作品が何と何の間をゆらゆらと移ろっているのか、結果として作品の命のありようが──あるいはその「寿命」が──どのように複雑化したのか、その答えは、まだ宙を漂っているのです。

現代に生きる私たちが、「モノ」としての──つまり、物理的な姿形を持ち、この世の中にあって、時間の経過とともに何らかの変質が内外に生じる、変わりゆく存在としての──芸術作品がたどる生の過程を、浮き彫りにすることはできないものか？そこには何が見えてくるのか？「モノ」と私たちの生死の軌道は、いかに異なり、いかに交わり、あるいは遠ざかるのか？──このような問いかけら、「タイムライン──時間に触れるためのいくつかの方法」展は生まれました。

本展覧会は、芸術作品を作ること、示すこと、残すことに直接かかわり、その全てに考えをめぐらす者たち──アーティスト インストーラー コンサバター アート・ヒストリアン制作者・展示者・修復士・美術史家が、私たちと芸術作品の時間と生について、共に考える場となっています。作品を生み、それを公の場において、保存し、研究する彼らは、それぞれに異なった職能を持ちながら、それぞれの立場から芸術に真っ向から立ち向かい、作品というモノに「触れている」という点で、軌を一にしています。いかに形にするのか、いかに残すのか、何が残るのか、何を消滅させるのか。試行錯誤を繰り返しながら、彼らの思考は、時の流れの中でモノとモノ以外の間を絶え間なく行き来しては、新たな方向へと導かれていきます。

2006年にこの世を去るまで、生涯を通じて版画の概念を押し広げるかのような作品群を残した井田照一は、病魔に冒された自らの皮膚や体液を作品に埋め込んで、経年変化の果てに腐敗する素材と、死に向かう自らの肉体

We lead our lives while engaging with "time" in a variety of ways. Given that everyone is to be born, grow up, age, and eventually die, no one shall be free from the persistent flow of time.

The process from birth to loss of an artwork has been often discussed in connection with the life of a living being: an artwork is said to be "born," in some cases "grow up" and "mature," and eventually "age" and "die." However, we then find ourselves having paused and pondering. Is it truly precise to say that the life of an artwork and that of a human follow similar trajectories?

The diversification of materials and techniques came about in the world of art in the modern era and is still going on presently, transforming modes of the lives of artworks in every possible direction by virtue of plastic and polyester, bottles and cans, video and television, ephemeral matters that instantly melt away or disappear, and even traditional materials associated with painting, which have resurfaced due to rediscovery after being overlooked for a long time. Today, the terms that we have often heard so as to indicate a complex formulation of an artwork, such as "mixed-media" and "intermedia," have come to be commonly used and widely known in society at large. However, exactly what kind of "objects" are *mixed* in those works, exactly what are those things between which artworks wander for *inter*-mediation, and how complex, as a result, have forms of the lives of artworks — or their "longevity" — become? Answers to these questions are still in the air.

How can we, as living beings of the present day, put in stark relief the lifetime process of an artwork as an object — as a being that exists physically in the world with a concrete form that constantly changes due to internal and external transmutations developing inevitably as time goes by? What will our attempt reveal and make visible? How do the life-death trajectory of an "object" and that of us differ from, intersect with, and draw apart from each other? The TIMELINE exhibition grew out of such questions.

This exhibition is intended to serve as a platform for the participants, who engage directly in making, presenting, and conserving artworks while working as an artist, an installer, a conservator, and an art historian, respectively or multiply, and who are concerned with all those aspects together, to exchange ideas about diverse temporalities and lives of both humans and artworks. Creating artworks, or conserving and studying artworks at public institutions, they have different specialized skills in respective fields, yet share one method: they tackle art squarely though the act of "touching" artworks that have physical forms. Constantly speculating and experimenting by trial and error on how to formulate things, how to preserve them, what would stay, and what should be eliminated, their contemplations, while negotiating with the flow of time, ceaselessly come and go between objects and non-objects, a process that eventually guides them in a new direction each time.

Up until he left this world in 2006, throughout his life, Shoichi Ida devoted himself to the development of a body of work that expands the definition of printmaking. As a deadly illness tormented him, the artist worked on creating connections between organic materials that would change their states across the ages until decaying eventually, including fragments of skin and drops of fluid from his own body, literally embedded in his pieces, and his physical existence itself that was coming to an end. In this sense, his series *Tantra* is indeed a lifelog of the artist himself,

を切り結ぶ制作を行っていました。芸術家自身のライフログ＝生命の記録ともいえる《Tantra》は、展覧会の起点となる、重要な存在です。

石という硬く抵抗の強い素材に対して、「彫り」「刻む」という働きかけを行いながら、その力強さをあえてかき消すように軽妙な形や場を作り出すのは、大野綾子です。道端に置かれた石や川べりに転がる岩が、ただそこにあり続け密やかに変質し続けていくのに対し、大野の手で名前と形を与えられ「作品」となったそれは、どのように私たちに示され、未来に残っていくのでしょうか。

加藤巧は、古代から連綿と続けられてきた「絵画の物質性」——さまざまな素材から成りたつ複合的なモノとしての絵画——について、「描き」の行為を通して考え続けている作家です。地に痕跡を残す、という、古くから繰り返し行われてきた原始的な行為を、細密な筆による「描き」の手段を用いて再び構築することで、加藤は、絵画を取り巻くモノと人間の行為について捉え直そうとしています。

気温や湿度、光などの外的要因によって姿形が変化するインスタレーションを発表し、また、インストーラーとして芸術祭や展覧会に携わる土方大の活動は、常に、可変的で流動的なモノと共にあります。設営と解体を通して、展覧会場という、ある種、時間的にも空間的にも限定された場をコントロールする土方の振る舞いは、自身の作品を制作する行為と作品に内在する時間と絡みあっていきます。そこには時間の複数性が、確かに立ち上がっているのです。

ミルク倉庫＋ココナッツは、7人の異なった職能（電気設備、造園などの土木系技術や、建築、デザインなど）を複合体として含みこんだアーティストユニットです。議論を繰り返し中世のギルドのように情報交換しながらインスタレーションを制作するミルク倉庫＋ココナッツ。異なった立場からの思考が造形という営為を通してひとつの作品という形をとり立ち現れるとき、彼らの思考や、生み出されたモノたちは、どのように切り結ばれるのでしょうか。

彼らがつくった、修復した、保存した、分析した、考え続けた作品の生の在り方を博物館の空間によりわかりやすく目に見えるように展示するために、展覧会では、作品の科学分析結果や作者の声の聴取を作品と並べて展示します。これは、目の前の作品が一体何でできているのか、これがどのように生きて、どのように私たちの生きる時間にたどり着き、どこへ向かうのか、生の来し方行く末に、科学の聴診器をあてて、耳を澄ます試みです。「モノ」としての芸術作品が、私たちが生きる時間の中でどのように変質し続けているのか、その全容を記録し記述するための方法を検討してきた2016年からの展覧会成立過程のすべてもまた、会場で公開され、作品の生と響きあうことになります。芸術作品の生の軌道に対峙し、

therefore setting a point of departure for our project and playing an essential role in this exhibition.

Despite the fact that stone is a solid material with hard resistance, Ayako Ohno creates rather light and witty forms or situations as if canceling such strength, by approaching it through her particular acts of "carving" and "incising." In contrast to natural stones left on the road or rocks lying around on a river bank that secretly and slowly transmute just by staying as they are, how are those ones that have become "artworks," given forms and names by Ohno, presented to us and how are they going to be in the future?

Takumi Kato is an artist who has employed the act of "drawing" as a means to continuously think about the "materiality of paintings" — about paintings that are complex objects each comprising a wide array of materials — which humans have carried on in an unbroken line since ancient times. By "drawing" with fine minute paint brushes, Kato analyzes and reconstructs the primitive act, which has been repeatedly practiced for ages, namely leaving traces on a support, in an attempt to shed new light to behaviors of objects and actions of humans surrounding what is called painting.

Dai Hijikata exhibits, as an artist, installation works that change their states in response to external factors such as temperature, humidity, and light, and also works, as an installer, for art festivals and exhibitions. Overall, his activities are always in close relationship with objects that are variable and fluid. Hijikata's gestures to control a temporarily and spatially limited site, namely an exhibition situation, by means of installation and de-installation, is inseparably intertwined with his own act of making as well as the temporality latent in his resultant works. Plurality of time is certainly put forth in his practice.

mirukusoko + The Coconuts form a complex artist unit that incorporates its seven members' respective specialized skills such as those of architecture and design and civil engineering techniques including electrical facility equipping and landscape gardening. The collective creates installations for each of which they undergo repeated discussions and exchanges of information like a guild in medieval times. Through their collaborative act of forming a physical composition, various ideas from different backgrounds together gain visibility as a single artwork. What kind of relations are constructed between their thoughts and the objects that have come to the world as a result of this process?

In order to display the timelines of the lives of the artworks that they have made, conserved, analyzed, and repeatedly contemplated in a more comprehensible and visible way in the museum environment, this exhibition juxtaposes physical artworks with both results of scientific analysis on them and an archive of oral interviews with the artists. It is an attempt to place a scientific and analytical stethoscope at the artworks presented in front of us so that we can strain our ears to learn stories of their past and future — what they are made up of, how they have led their lives, how their lives have arrived at the temporality in which we live, and where are they headed for toward the future. In planning this exhibition, we have looked into different possibilities to figure out the best way to document and describe the full scope of how artworks in the form of physical "objects" constantly transmute in the framework of human temporality. The timeline of this process itself is shared with the public in a variety of forms, resonating with the lives of the artworks. In this space, where

解剖し、解体し、つなぎ合わせる空間の狭間で、私たちはどのように「時間」と出会い直すことができるでしょうか。

「時間」が私たちにとって平等であるように、モノに携わること、作ること、展示すること、鑑賞すること、残すこと、それらについて考えること、その全ての機会は、あらゆる人々に対し、ひとしく開かれています。

芸術作品と私たちの内外を絶え間なく流れる時間を考えなおす時間、それはひるがえって、私たちの生を今一度問い直すための今日この日この瞬間を紡ぐ営為にも、つながっていくでしょう。

trajectories of the diverse lives of the artworks are confronted, dissected, deconstructed, and interconnected, how are we going to re-encounter "time"?

Just like how the relation between "time" and each of us is equal, opportunities to relate oneself to objects by engaging with, making, exhibiting, viewing, and conserving them, as well as giving thoughts to these approaches, are all equally open to anyone.

Such time to reconsider time, which constantly flows in and out of artworks, and of ourselves, may give us a chance, in return, to reflect upon and reweave each moment of our everyday life, here and now.

イメージの、モノの、時間の「表」と「裏」。井田照一という作家にとって、「表と裏」は、生涯をかけて追い続けた主題であった。作品はどこから生まれ、どこへいくのか。表面＝目に見えているものと、裏面＝目に見えていないもの、その境界はどこにあるのか。出展された《Tantra》は、数ある井田の作品の中でも、表と裏をめぐる問いがとりわけ強く打ち出されているように思われる。また、この連作は、作品の「生」に注視する試みとしての展覧会「タイムライン——時間に触れるためのいくつかの方法」の出発点となった作品でもある。

《Tantra》の内外では、制作時から現在までの時間のなか、目には見えない無数の変化が、ゆっくりと起こり続けてきた。後述のように、《Tantra》には、井田が日々咀嚼した食物や、闘病中の体液が画溶液として用いられており、使用された素材の数々が裏面に書き連ねてある。ワイン、尿、お酢、血液、人骨。用いられた多様な素材は、時に作品の「表」で崩壊し、腐敗し、溶解し、変容し、時間をかけて「裏」へと、紙の繊維を伝って浸透していく。「裏」と「表」の交通の最中で変化し続ける《Tantra》は、構造上の「表」という場所へ注がれる鑑賞者の意識を「裏」へと軽やかに誘導しながら、ありとあらゆる作品が緩やかな変化の間にある——井田の言葉のままに「Surface is the Between——表面は間である」——ことを、私たちに伝えている。

《Tantra》の裏に記述された素材の数々を数え上げることは、制作時の井田の「生」に対峙する作業でもある。私たちは作品の「裏」の豊かさを目の当たりにし、制作の「裏側」のことを考え、「表」に出会いなおし、果てに、作品の「表」と「裏」の間にある肉眼では捉えることのできない変化の内実を想像してきた。その過程において、展覧会全体の展示プランや調査の進め方、ドキュメンテーションの方法論に、「表」と「裏」を再考し可視化する、というコンセプトが浮かび上がった。

作品の「表」と「裏」を等価に扱い、見えにくいものをあえて見えるようにすること。作品の「表」と「裏」を、そしてその間——構造、素材、組成——を繰り返しまなざすこと。おそらく井田が450点近くの《Tantra》制作の中で取り組み続けたこの主題が、「タイムライン——時間に触れるためのいくつかの方法」展の重要な核になっている。

作品調査
未公開作品　イダショウイチスタジオ所蔵
井田照一《Tantra》

conservator
田口かおり

未公開《Tantra》の調査タイムライン

2018.2.11
未公開《Tantra》、額の発見
イダショウイチスタジオ

2018年7月20日
インタビュー映像撮影
イダショウイチスタジオ

2018年10月28日
未公開《Tantra》調査
イダショウイチスタジオ

2018年11月25日
作品素材の調査、額採寸
イダショウイチスタジオ

2019年1月-3月
光学調査（紫外線、赤外線、蛍光X線分析など）
HORIBAはかるLAB
ニコンミュージアム
森絵画保存修復工房
東海大学

2019年1月12日
一部作品の集荷
イダショウイチスタジオ

2019年3月10日
額と素材の集荷
イダショウイチスタジオ

2019年3月22日
最終打ち合わせ
イダショウイチスタジオ

2019年4月13日
残りの作品の集荷
イダショウイチスタジオ

2019年4月18日–19日
作品搬入・点検・展示

2019年5月20日
中間点検

2019年6月24日
作品点検・梱包

2019.7.13
全作品の返却
イダショウイチスタジオ

経緯

「タイムライン」展では、34点の井田照一《Tantra》を展示した。そのうちの7点は、作家のアトリエであったイダショウイチスタジオに残されていたもので、これまでに公開されることのなかった初出の《Tantra》である。アトリエで見つかった合計27点の未公開《Tantra》は、豊田市美術館収蔵作品と同様、作品とほぼ同寸の箱内に重ねて保管されていた。作品に見られる丁寧な仕事ぶりや保存状態の良さから、未完成のまま放置されたり習作であったりする可能性は低いように見受けられ、井田がどのような理由でこの27点を《Tantra》シリーズから外し別途保管したのかは、不明である。

これまで展示されることのなかったこれら《Tantra》の調査を通じて、作家が生涯追求し続けた版画の豊かな技法や混交する素材の数々に改めて光をあてることを試みた。なお、展示した7作品は、作品とともにアトリエで発見された井田照一本人の発注による作品額（下記図面グレー部分）におさめ、垂直に立てて公開した。

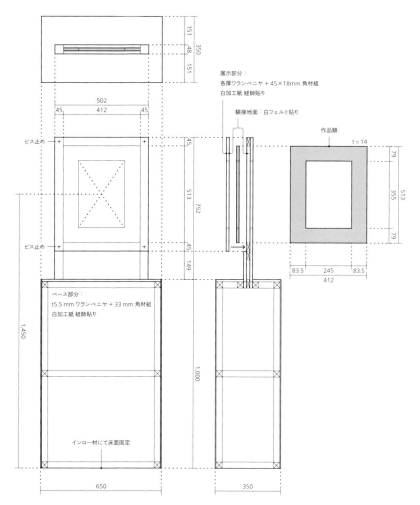

未公開《Tantra》作品額用什器　株式会社伏見工芸制作

調査

未公開《Tantra》の調査、情報収集、インタビュー収録は、2018年2月、イダショウイチスタジオで開始した。2018年度までイダショウイチスタジオの代表を務められた釋和子氏には、度重なるインタビューと作品調査にご協力をいただき、井田の制作時の状況や素材の選定の様子などについて、貴重な証言を頂いた。

自身の体液や、庭で拾った動物の骨、食べたものの一部などを素材として使用する井田作品の一部には、経年変化の末の変色や変形などの特徴が見受けられる。本企画では、光学写真に加えて、作品に使用された素材を可能な限り書き起こし公開することで、井田の作品組成の複雑さや素材の特性に着目した。これらの「記述」と呼応させる形で、会場に同時公開したのは、井田が《Tantra》を描くにあたって収集していた素材の数々である。

井田は自身が好んだすっぽんのスープの残滓──頭骨や小骨の一部や、石、砂、羽などをコットンに丹念に包んで保管しており、作品に貼り付けたり、埋め込んだりして使用していた。会場には、井田の逝去によって白紙のままで残されることになった《Tantra》用の和紙の束も展示しており、作品上で変化し続けている様々な素材群がたどる時間に、作者の死により「中断」状態に置かれた素材や支持体の時間が重なり合う場の創出を目指した。

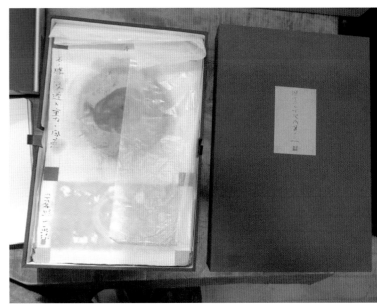

スタジオに保管されていた作品
スタジオの庭の様子

作品分析

井田照一 《Tantra》
未公開作品　イダショウイチスタジオ所蔵

conservator
田口かおり

実体顕微鏡

作品を部分的に拡大して観察することで、制作の過程を検証することができる。作品に埋め込まれた石の表層の様子から、井田が最終段階で石の上にも絵具をうっすらと塗布していたことがわかる。

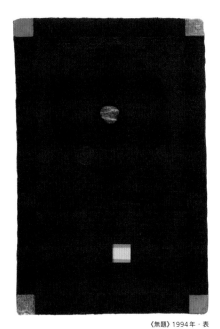 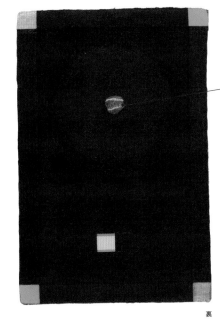 

顕微鏡拡大写真

80 μm

《無題》1994年・表　　　　　　　　　　　　裏

紫外線／実体顕微鏡

調査対象に紫外線を照射すると、吸光・蛍光反応の違いから情報を読み取ることができる。修復調査においては、この分析方法を用いることで、作品上の補彩（後の時代に描き加えられたり、描き重ねられたりした箇所）の有無やワニスのむらなどを確認できる。本作品では、水色の端切れが紫外線に異なる蛍光反応を示していることがわかる。この違いは、布の染料そのものの性質に加え、過去にこの端切れが洗濯されたときに用いられた衣料用洗剤に由来する可能性がある。洗剤に添加される蛍光増白剤は、蛍光性能（フォトルミネセンス）を持つ染料であるため、紫外線を照射すると時に独特の蛍光を示すのである。

0.3 mm

 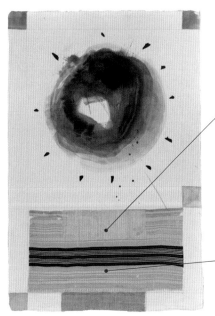  

顕微鏡拡大写真

表面の紫外線写真

裏　　　　　　　　　　　　《無題》1999年・表

蛍光X線分析元素マッピング

絵画の組成や構造を分析するためにはいくつかの選択肢があるが、蛍光X線分析は、X線を試料に照射した時に発生するエネルギーや強度を計測する調査方法である。それぞれの元素によって異なるエネルギーと強度を手掛かりに原子の種類を特定し、それが含まれる絵具を調べることで、画家が使用した絵具を推測することができる。本作品を対象にした調査では、カルシウム（Ca）が全体から検出されていることから、井田が度々用いていた骨灰が主要な素材として用いられており、そこに、鉄（Fe）を成分に含む土性顔料や白色絵具のチタニウムホワイト（Ti）が混ぜ込まれている可能性がある。

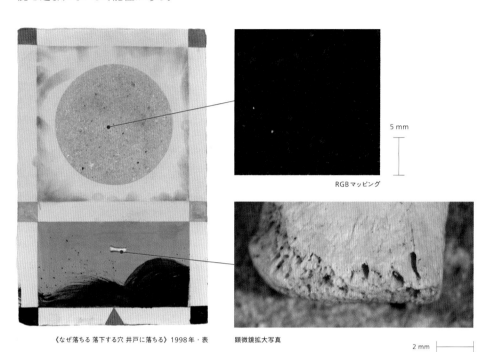

5 mm

RGBマッピング

《なぜ落ちる 落下する穴 井戸に落ちる》1998年・表　　顕微鏡拡大写真

2 mm

裏

斜光線

調査対象に一方向から光を照射することで、作品表層の起伏や損傷の有無（擦れ、欠損、剥離など）を確認する分析方法である。本作品の場合は、下方からの光によって、雨にさらされて和紙に刻まれた変形、繊維の毛羽立ちなどが顕著に浮かび上がっている様子を見て取ることができる。

裏

《雨／雨ノ浸透シタ紙》1999年・表

表の斜光線写真

蛍光Ｘ線分析元素マッピング／実体顕微鏡

白色部分から顕著にチタン（Ti）が検出されており、おそらく白色絵具にはチタニウムホ
ワイトが使用されている（RGB赤緑青合成 赤色＝チタン 緑色＝鉄 青色＝カルシウム）。顕微鏡写
真からは、井田があらかじめ「雪」の位置をひとつひとつ、鉛筆による下描きで定めてから、
絵具を塗っていた様子がうかがえる。

2 mm ┠────

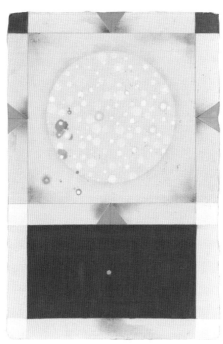

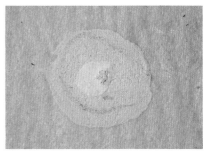

顕微鏡拡大写真

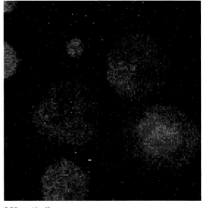

裏

《雪の性 雪の井戸》制作年不詳・表

RGBマッピング

5 mm ┠────

紫外線

本作品では、二作品に用いられた様々な素材が異なる紫外線の蛍光・吸光反応を示し
ている様子が確認できる。

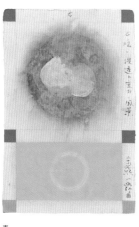

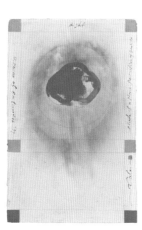

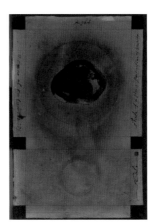

《石の影 浸透ト重力 風景 右》1999年・表

表

裏

裏面の赤外線写真

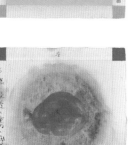

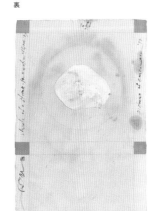

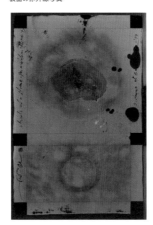

《石の影 浸透ト重力 風景 左》1999年・表

大野綾子
Ayako Ohno

良いかたちを見失ったりしませんように
変化の瞬間を見過ごしたりしませんように

（「ねがう人」『引込線 2017』p. 316 より）

大野綾子のスタジオを訪問したのは、2018年9月30日。雨が降ったり止んだりする曇天の日だった。ぬかるんだ地面をそろそろと石切場の方へ歩いていったら、見上げるほど巨大な機械や石の向こうから大きく手を振りながら彼女がこちらに来てくれた。オレンジ色の花柄のバンダナと真っ青な作業着、にっこり笑った顔を今もよく覚えている。その日、大野は、使っている道具や制作の方法について、わかりやすい言葉で丁寧に解説をしてくれた。重量の単位や仕事の内実は明らかに重労働に響くが、彼女の話を楽しく聞いていると、石を切る、割る、削る、彫る、という作業がとても軽やかなものに思えてくる。「石の持っている『重い』というイメージを変えたい。人や空気が流れていたり、動いたりしているシーンを創出できたら面白いと思うから」と彼女は言う。軽やかでしなやかな人だ、という印象は、大野の作品を最初に見た時の印象と相通じるものがあった。本展に出展されている《植物と花（草）》のすべらかな葉先（海で揺らぐ若芽のようにも見える）や《さかなとして暮らす》のふくよかなまろみには、思わず石であることを一瞬忘れさせる軽妙さがある。大野綾子の石彫は、「石」という素材のイメージをひらりとかわし、空間に爽やかな空気の通り道を作るのだ。

　本企画では、大野作品の「軽やかさ」の中に眠る物理的な時間の層を作品と同時に可視化し、作品の「生」と石の「生」双方に目配りする空間の創出を試みたい、と考えていた。また、博物館という空間内に展示陳列されている考古学遺物としての石材と、大野が見つけだし切り出したことで変化を遂げ、ある「かたち」をとった石彫の間に生じる交通のようなものから、石という素材のタイムラインを見晴らす、というねらいもあった。

　具体的に試みたのは、作品素材の組成分析である。本展で大野が用いたのは、細粒石英砂岩と白雲母普通角閃石黒雲母花崗岩（御影石）。それぞれのサンプルをシャーレに入れて「作品の素材」として公開すると共に、組成を偏向顕微鏡で撮影した。石英の透明な結晶や黒雲母の六角形、白雲母の虹色など、通常の光では捉えることのできない大野作品内部の結晶群を目の当たりにすることで、私たちは、一見滑らかで軽やかな石彫の密度や石としての質量、そこに積み重ねられてきた山脈や河川の時間の刻印を確かめることができる。あわせて、いかに安全に大野の作品の搬入・搬出を行ないうるのか、具体的な手順の記録と指示書を残した。素材としての石材は堅牢で、長命を約束してくれるものであるように思われるし、大野作品は石の「重み」というイメージから自由な跳躍をみせている。しかし、実のところ、保存修復的観点からすれば、石は接触による変色、衝突や落下による破損など、その保存の段階で様々なリスクを背負う素材でもある。「タイムライン」展では、大野の声を聴取しその内容を公開することで、作品の再展示の際に有益な情報の公開に務めた。

大野綾子

スタジオ訪問

大野綾子
Ineterview

大野綾子
石井琢郎

interviewer
田口かおり

大野綾子の共同スタジオで、配偶者であり、共に石を扱う作家である石井琢郎氏も同席しインタビューを行った。

大野　これが道具類です。人工ダイヤモンドが付いているカッターで、石を切ります。空気を圧縮してそれを動力にして回すエアコンプレッサーという機械で、石を短冊状に大きく切っていきます。それを次に、ノミと石頭でこういう風に整えて…

―――　一筋一筋切っていくわけですね。気が遠くなりそうな作業量

石井　結構、地味にやっていくって感じですねほんとに。これがノミです。タンガロイっていう合金が入っています

大野　石の大きさに合わせて道具も大きいのであったり中くらいだったり、選んでいきます。石頭も色々な大きさがあって、小さいので軽く彫ったり、大きい塊を落とす時はそれなりに大きいのでガンガンと端を落としていったりします。結構原始的で、こんなものしかないんですよね

石井　道具が発展しない、多分ね。太古の昔からそんなに変わらないです

―――　新しい道具が生まれないというのは、結局のところ、こういう昔からあるものが使いやすいから、という理由なのでしょうか？

石井　データを入力して機械に自動で制作をさせるという方法をとっている人もいますけどね。ニューヨーク在住の作家で、スーツを着てパソコンでパパッと数値を入力して、隣のアトリエでは機械が瞬時に作品を彫り進めていったりするような。そういう機械は、国内では富山にあるって聞きましたけれども

大野　いずれにせよ、道具はいつか絶対に壊れるであろうっていう気持ちが、石を扱っているとあります。何かしらの粉が舞っている中で作業しているので、機械には当然良くはないわけで、必ず何年かに一台は壊れていきますね

石井　保つ人は10年保つけど僕なんかだったら3、4年で壊しちゃう

―――　石の質にもよりますか？硬い石と柔らかい石が混ざっている川石などは切るときに、刃には負担がかかるのでしょうか

石井　はい、大理石だと、道具は全然違いますね。

硬い石を切る刃は柔らかいです。砥石もそうですが、共擦りで自分が削れていかないと、硬いものが削れないんですよね

―――　自分が削れてくことで、相手も削るということですね

大野　道具はだんだん小さくなっていって使えなくなっていきます。ただの鉄の板になって。見た目でも分かるし、切れなくなるのも分かりますね。これが最後に当てる石材用の砥石です。最後は手で水磨きをします。手持ちのものがあるんですけれど、番手を上げていって、ツルツルにしていきます

石を選ぶ

―――　使われる石はどのように選ばれていますか？

大野　日本にある石というと、真鶴や筑波、福島に行ったりしますが、大理石とか砂岩とか輸入系の石は関ヶ原石材というところに大きなトレードセンターがあって、そこに買いつけに行きます。他にも、石屋さんが潰れてしまったりした時に、この石をちょっと持っていってくれないか、というお話を受けて割と悪くない石を使ったりすることもあるし、捨てるのも大変なので貰ってもらえないか、っていうことが結構あって

石井　墓石も来ますよ。魂抜いているから使えるで しょう？みたいな感じで

──　誰々家の墓、って書いてあるのがそのまま…

大野　それはまだ今までないですが、台になっていた ような石や、欠片のような…とにかくぴかぴか 光っていて、もうこれで商品になっていたのだ ろうな、というものが結構あります。今、すごく 増えていますよね、核家族化が進んで、お墓 をもう維持出来ないという状況もあるし。中国 の黒御影などが多いですけれど、中はとても綺 麗です。彫ってみると、ああこれは使えるなあ、 みたいな感じで。ひびもムラもないです

石井　あとは、干拓に使われているものとかもね。埋 め立ての石など

石を扱う

──　大野さんが、『何故石が面白いか』という質問 を以前受けていらした時に、『制約があるとこ ろが良いと思った』と仰っておられましたけれど、 そのことについて少し伺わせてください

大野　技法的なことを言えば、石はまずそのものが あって、割る、削る、彫る、というように限ら れた選択肢の中でしか作品になっていかない、 という、ある意味ではマイナスの仕事です。で も、削ることがただのマイナスになるのではなく、 それが何かを表現する上でプラスになっていく、 何かを足して行くことになる、という面白さ、シ ンプルさに惹かれて、将来性を感じました。若 かった頃の感覚的なところもありますが…なん だか面白い素材だな、ということと、自分の 作ってみたい形が、ざくっと、石という材と合っ たというか、そういう感覚がスタートにあったと 思います

──　大野さんの作品を拝見していると、とにかく軽 やかなところが印象的ですし、本当にこの作品は 石でできているのだろうかと一瞬戸惑うほどに、 二次元と三次元の間を行き来している雰囲気 があります。作品ごとに、どの石材を使うかと いう判断は、どのように下されているのですか

大野　私の作品制作のスタートとしてはまずイメージ が強くあって、場所性を意識します。今回は、 京都大学総合博物館での展示、というキーワー ドがあって、どう空間を作るかを考えました。 空間全体のドローイングから初めていって。石 というのは、静止している、重たい、というイ メージがあるので、それを何か変えたいし、驚

かせる為にはどうしたら良いか、というのを、 いつも、ちょっとしたテーマにしています。人や 空気が流れていたり動いたりしているシーンを 創出できたら面白いんじゃないか、というとこ ろからドローイングをしていき、そのシーンに似 合う色、質感、大きさを考えていきます。原石 の大きさとの兼ね合いも勿論ありますが、なる べく自分の伝えたいものを抽出して、その上で 素材を選ぶという形をとっているように思います

──　思い描いたような石が見つからないこともあり ますか

大野　そういう時はプラン変更で。考えながらドロー イングをして、あの石を今度使おうかな、という ストックがあればその中から選ぶし、新しい石 を買いに行くのであれば、質感や色の調和を とって、ドローイングをスタートしていきますね

──　実際に彫り進んでいかれて表面に見えている 肌と違うものが出てきてしまった場合にもプラ ンを変更しますか？

大野　私はしないです。よく、小さなアンモナイトの ような化石が出てくることがあるんです。おお 〜、と思うのですけれども、そこに持っていか れちゃうとやっぱり石を扱う人間として……な んて言えば良いか、そういうものを引きずるこ とがタブーな気がしています。だから、少しド ライに、その辺は自分の欲望を突き通すという か。素敵なことだけれども、それを敢えて見る 必要は私の仕事の中にはないというか、そうい う気持ちで取り組みます

作品の保存について

──　私は保存や修復に携わっているので、石という 素材が、時間が経過するにつれどういう風に周 りの環境の中で変化していくのかということに 興味があるのですが、大野さんが今までに制 作された作品に、そういった意味で大きく変 わってしまった、と感じられたケースはありま すか

大野　基本的に形は変わらないですね。例えば、野 外に作品を設置した時に、そこに苔が増したり、 カビが生えたり、土の汚れがついたりして見た 目の印象が変わっていくっていうことはありま すが、避けがたい現象だと思っています。小 豆島に設置している作品で、真ん中に穴が空 いているものがあるのですけれど、その中に何 故か棒が入れられていたり、ということはあり ましたね

―――　パブリックな場所に置いたものについて、定期的にメンテナンスなどはなさいますか

大野　全然していないです。制作に関わった近所の方などが状況を教えてくれることもありますけれど、それはどうしようもないことというか、それも含めて作品にしていくしかないのでは、と考えています

―――　石の種類によって保管の方法や場所が変わるのでしょうか？

大野　私は、石は外に置いています、基本的には。ただ風化の仕方は、石によって目に見えて違いますね。例えば大理石は黒くなりやすいですし、砂岩とか、輸入系の石は汚くなっていく速度が速いと感じます。一方で、日本の白御影とか筑波の石は、あまり汚れていかない。やはり、気候と風土に影響されて、石も色々な変化の仕方をするとは思います

―――　そういった石の経年変化の可能性をふまえた上で、大野さんの作品を将来的に保存していくときに、展示・収蔵する側に気をつけて貰いたいことや、大野さんから伝えたいことなどがありますか？

大野　何かあるかなあ、とすごく考えたのですけれども……結局思ったのは、人が触って石が汚くなっていくこともそんなに悪いことではないような気もしているんです。汚いからちゃんと綺麗にして欲しい、とか、そういうことでもない。例えば、私の作品が100年後どうなっているか、例えば作品の首の部分が取れてしまっていても、私は、なおしてもらいたいとは特に思わないんです。それはそれで、時間の流れだったり歴史だったり、そういうものを作品に注ぎ込みながら見て貰えたら一番リアルなのではないか、と

作品がモノとしてきちんと残ることが100％自分にとって素晴らしいことではないかもしれない。作品を残す、ということを考えるとき、やはり、その作品が人にどのように伝わったのかが一番大事で、私がどういうことを考えて制作をしたか、どんな展示を通してどんな世界が広がると考えたか、そういったことを人に伝えていくことが、私の作品を動かしてくれる誰かの情熱に繋がるのではないかと思うので。モノとして残す、ということより、伝えるということの方が大事なのではないかと。もう折れちゃったら折れちゃったでしょうがない、と思うし、あるものは絶対に壊れると思っているし、自分も壊すので。そう、自分で自分の作品を壊しちゃう

こともあります。でも、それがマイナスなことではないと思いたい。石を使う限り、それはそう思っていきたいな、と。なので、特別にこうして欲しい、ああして欲しいということではなく、一体ごとに丁寧に扱って、見てくれる人に作品の本質を伝えてもらえれば、と、そんな感じで思っています

1. 梱包

高密度ポリエチレン不織布（タイベック）など、作品保護に適した柔らかな材で包み、さらにその上からエアキャップなどで梱包し、木枠で全体を固定する。木枠と作品の間には、必要に応じて抑え用のポリウレタン緩衝剤などを挿入し、安全に輸送できる状態を確保して最終固定する。

2. 輸送

輸送時、移動に起因する作品の損傷（剥落や擦れなど）を防ぐため、作品を収納した木枠は天地顛倒無用とし、可能な限り梱包時の状態を保ったまま輸送する。

3. 展示

3.1 基本情報

「タイムライン」展のように、展示ケースの中に作品を展示する場合には、展示台を養生し、三又とチェーンブロックで吊り上げた作品をその上に徐々に降ろし、場合によってはスライドさせながらゆっくり着地させる。基本的には下図の二箇所で吊る構造となっているが、「タイムライン」展では、展示ケースの構造上、一箇所で吊り展示を行った。

展示位置が鑑賞者の足元にある場合、歩行時に足が当たるなどして、作品転倒や怪我のリスクが高まるため、展示時には展示台などを用意し、少し高さを出すことが推奨される。

作品は野外でも展示可能である。ただし、作品を設置する場所としては平坦な場所を想定している。起伏のある土壌の上に設置すると転倒する可能性があるため、野外に展示する際には、小石や雑草などを除去し、可能な限り土地をならしてから作品を設置する。

作品は床面に対し3点つく構造である。中央部底面にホゾがあり、心棒を挿入し固定する。また、作品頭部・脚部底面にも作品固定用の小穴がある。鑑賞者の接触などによって作品が回転・ずれることが懸念される場合には、これらの穴も使用して作品を固定することが可能である。

3.2 必要人員

3.2.1 輸送用トラック等から展示空間内への作品移動時

「タイムライン」展の際には男性4人が対応した。重量のある作品であるため、十分に力のある者が3-4人で対応することが望ましい。

3.2.2 作品の展示台上への移動・設置

三又を用いて作品を吊り上げ、所定の位置に下ろす際には最低3人（可能であれば4人）の人員が必要である。作業の配分は、作品を釣り上げる者1人、作品を支える者2人、作品を展示台上の所定の位置に設置する補助者1人とする。

3.3 作品の取り扱いに関する追記

作品表層に損傷や変色が発生しないよう、取り扱い時にはプラスチック手袋（ゴムもしくはニトリル製）などを装着する。

展示する際には、表面の擦れなどを防ぐため、作品が直接床面に接触しないように場合によっては養生を行う。「タイムライン」展では、切り出して造形した鉄板を頭部と脚部底辺二箇所に設置している。

大野綾子《ねがう人、たてる人》
2017　300×3600×600 mm　砂岩

梱包・輸送・展示仕様書

通常の吊り位置

大野綾子

作家から提供された素材サンプル

作品分析

conservator
田口かおり

岩石名：

細粒石英砂岩

大きさが 0.1 - 0.2mm 大のほぼ等粒状の砕屑粒子から構成される。石英が大半を占め、少量の斜長石、微量の黒雲母、極微量の角閃石、燐灰石、不透明鉱物などからなる。構成粒子から、花崗岩質岩石起源の砕屑粒子によって構成される砂岩と考える。

石英・斜長石：左写真で白〜ピンク〜灰〜黒、右写真で透明な結晶
黒雲母：中央右下の短冊状結晶、右写真で濃い褐色部分
白雲母：写真の左上端の短冊状結晶、左写真でカラフルな色彩、右写真で透明
燐灰石：黒雲母の左上にある長方形の結晶、右写真で浮き上がって見える箇所

1 mm

白雲母　石英　　　　　　　　斜長石

クロスニコル ｜ オープンニコル　　　　燐灰石　黒雲母

岩石名：

白雲母普通角閃石黒雲母花崗岩 （御影石）

大きさが 2 mm 大の等粒状の結晶から構成される。斑晶は石英、斜長石、カリ長石が大半を占め、ほぼ等量。岩石は花崗岩に区分される。微〜少量の黒雲母、普通角閃石、白雲母、極微量の燐灰石などを含む。

石英・斜長石・カリ長石：左写真で白〜ピンク〜灰〜黒、右写真で透明な結晶
黒雲母：右写真の中央下には六角形の濃い褐色黒雲母がある
白雲母：左写真でピンク〜黄〜橙色の短冊状結晶。右写真で半透明
普通角閃石：黒雲母・白雲母と共生する緑色結晶

2 mm

白雲母　石英

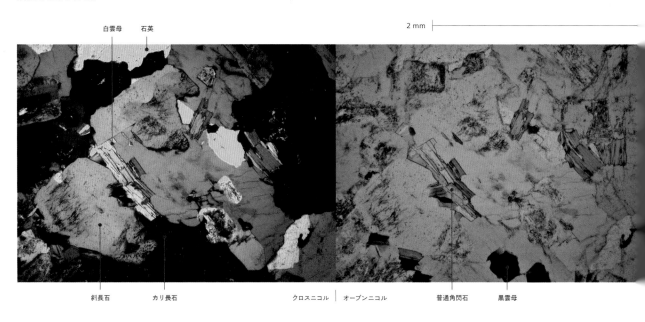

斜長石　　　カリ長石　　　　クロスニコル ｜ オープンニコル　　　普通角閃石　黒雲母

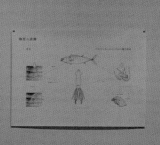

事物間の「シグナル」を読み解き、掴みきれない時間に触れる

ミルク倉庫＋ココナッツのメンバーの話し合いは、闊達で、自由である。登場人物の特徴が豊かで、展開が全く読めない舞台のように目が離せないし、コミュニケーションは笑いに満ちている。話し合いの明確な終わりと始まりがわからない。終わったと思えばまたどこかで違う話が始まっており、始まったと思うと中断し、ふと斜め前や後ろから飛んできた声で主題が冒頭に戻り、思ってもみなかったエピソードがこぼれだす。彼らの輪の中にいると、マッチ箱やほうき、ゴミ箱、ジッポ、その他すべての材料を楽器に変えて舞台を作り上げるオフ・ブロードウェイのミュージカル『STOMP』や、その昔、スイスで目にしたジャン・ティンゲリーの機械が──熊手や箒や鍋やねじが──奏でていた音楽のことを思う。つまりは、彼らの作業はどこか音楽的だということなのかもしれない。何かが鳴り、徒然、他の何かも鳴りはじめ、その連続が譜になっていく。こうした作品制作の起点の方法を、彼らは「アイディア出し」「ブレインストーミング」と呼ぶ。

ミルク倉庫＋ココナッツは、7人の異なった職能（電気設備、土木系技術、建築、音楽、デザインなど）を複合体として含むアーティストユニットである。八丁堀の元印刷工場を改装しながら作品を展開するプロジェクト「無条件修復」（2015年4月25日–5月22日）を引用するまでもなく、彼らは、事物に時間が及ぼす影響や、時間が作品にもたらす物理的な「欠落／欠損」の補修について関心を寄せてきたように思う。展覧会を共に作り上げるにあたり、最初に言葉を交わしたその時、「時間というものがあるかどうか、まず、分からないということから始めたい」とメンバーの松本直樹が述べたのが、印象に残っている。

他の出展作家とは異なり、彼らはユニットで活動している。それゆえ、作品制作は上記のような「ブレインストーミング」に端を発する。組成が複雑な現代美術の保存修復分野においても、異なる専門職の人間が集合し、アイディアを出し合いながら作品の処置にあたるケースは年々増加している。現代においてよく見られる「チーム修復」と同形態で進められる制作の在り方は、非常に興味深い。制作の過程で、彼らはジョージ・クブラー『時のかたち』の一節「現在という瞬間は、すべての存在のシグナルが投影された一枚の平面」をキーワードとして引用している。クブラーは、「同じ瞬間に混在している異なる集合」として「複雑で混乱したモザイクのよう」な時の多様さは、「歴史上の過去として遠ざかった地点から」見ることで──つまり、時間的に隔てられた遠い場所から見ることで「初めて明瞭で単純な形として現れてくる」と述べる。作品内外に交錯する非直線的な時間軸は、いかに編み上げられていくのか。クブラーが推奨する「遠ざかった地点」からの観察行為をふまえた上で、本企画では、「時間？そんなものはないかもしれない」という仮説からはじまり、「時の形」を手探りしつつ歩みを進めたミルク倉庫＋ココナッツのブレインストーミングを数回にわたって採取した。本書ではその一部を掲載する。

ミルク倉庫＋ココナッツ
Interview

スタジオ訪問

坂川弘太
西浜琢磨
松本直樹
梶原あずみ
宮崎直孝
篠崎英介
瀧口博昭

interviewer
田口かおり

メンバー構成

松本 メンバー構成的には宮崎さんが主宰で、ミルク倉庫という名の共同アトリエとして2008年に立ち上がっています

宮崎 そのときは僕以外にあと3人いたんですが、2人脱退して1人が亡くなって…、まぁ、亡くなった瀧口は今でもメンバーなんですが。松本くんと西浜はココナッツ、ということになっているんですけれど

松本 ココナッツが入ってミルク倉庫＋ココナッツになって、2年という感じですね

宮崎 ミルク倉庫時代から展示の機会が外から来ることがあまりないから、自分たちでスペースを作ってやるしかないという話になって、スペースを持つとやっぱりなんとなく…

坂川 制作もするんだけど

宮崎 松本さんのように、企画を持ってくる人がでてきたりとかして

松本 そのスペースをどう活用するかという話になってきて

坂川 メンバーの構成なども含め、今の体制になってきた

松本 カチッとしたプランが前提となる、一つの作品を皆で作るからこういった構成であるべき、というような人工的な感じではなくて、わりあい自然だよね。意識的に動こうとはしているけれど、基本的には自然にそんな形式や形態になっていったという感覚があります

坂川 個々にやりたいことを持ちながら

松本 基本的には皆がバラバラで、武蔵美出身が2人で、1人が油絵と映像、篠崎が建築系で、西浜が音楽系、坂川くんが電気。制作することをベースにして何かしら新しい技術を手に入れる、という感じ

—— 皆さんがあまりにもそれぞれに異なる分野の能力を持っていらっしゃるので、最初にプロジェクトがあって、『こういう作品を制作したいので、ついてはこういう能力を持った方が必要』という流れで人が集まってユニットが結成されたのかと思っていましたが、そういうことではないんですね

松本 確かに、きっかけはプロジェクトベーストではないですね。今は、制作過程としてプロジェクトが土台にありますけれど、逆にプロジェクトが走ってない時はバラバラに動いているし

宮崎 でもあれだよね、アイディアベースになると、皆、1回素人になる

松本 ああ、多分それは、現代アートというか、芸術の「メタ-ジャンル性」っていうのは、全員アマチュアになって取り組むというところがベー

スにあるから

宮崎 それ、結構重要だと思う

松本 とはいえそれぞれに能力…能力というか、ご飯をどうやって食べるのかっていうところでのプロフェッショナルな技術、お金をきちんと取ってこられるものがあるので、それをアイディアに対していかに具体的な操作として入れ込むかっていうところですね。アイディアを実現するために、課題に対して能動的に動ける道筋をどう探るか、その試行錯誤もプロジェクトを行っていく上で重要な部分です

ミルク倉庫＋ココナッツのブレインストーミング

—— 『無条件修復』のステートメントを拝読したときに、展示の枠組を美学・思想史的なアプローチからかなりしっかりと作りこんでおられる印象がありました。皆さんが展覧会や作品制作をする時の『ブレインストーミング』は、毎回、どのような感じで行われているのでしょうか?

松本 『無条件修復』のステートメントは、最終的に美術家の高嶋晋一さんが書いたものですが、展示企画自体についてのブレインストーミングは、ミルク倉庫のメンバーと当時、個人であった僕と、西浜、そこへ高嶋さんに入ってもらって再三していました。ミルク倉庫＋ココナッツの場合では、基本的には宮崎さんとか坂川くんとか、アイディアマンがいます。そして、やっぱりアイディアというのは解決されるべき1つの課題として出てくるもので、それに対してどのように反応ができるだろうか、どのように落とし込めるかっていう話を議論していきます。ただただ話していても具体性を帯びていかないので、そこからは図面を引いたりとか

宮崎 そうだね　模型を作ってみたりとかね

松本 わりあい、宮崎さんとかが中心で模型を作ってくれて、図面とかは篠崎、コンセプトとかを文章にするのは僕というか、うん、それですり合わせながら、見せ合いながらやっていくという感じ

宮崎 あと、LINEなんかで、思いついたらぽろぽろ言う

松本 ああ、そうそう

宮崎 毎日思いついたら、毎日何かつぶやく。一応それでなんとなくシェアして、実際に展示のプロジェクトが入ってきたらどれを使おうか、と考えて、まあ、ストックしておく感じ

松本 そうですね　大体話して、何が話されたかっていうのは頭の

宮崎 片隅に

松本 片隅に入れておいて、プロジェクトを立てないといけないとなったら、じゃあ先日話したあれ

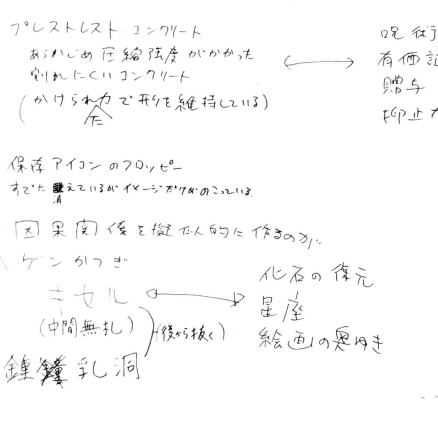

ブレインストーミング中のホワイトボードのメモ

をどう料理するか、と話をする。基本的に死んだメンバー合わせて7人それぞれが別のタイムスケール上で動いているので、具体的に作品の楽譜をある程度作らなくちゃいけないとなったら、そのために模型や図面を用意して

梶原　実際に工事をしていく

松本　そうそう、もう施工、という感じですね。施工ができるような状態にまで持っていく

──　（過去の作品のために引かれた図面を見ながら）ものすごく具体的ですよね

松本　具体的ですね、映像システムの図面だったり、電源のシステムだったり

──　現代美術の保存や修復に関係している人が作品と一緒に作品図面や配線のシステムを図解して残そうとしている、そういった試みに通じるものを感じます

松本　特に電気工の坂川くんやタイル工の西浜さんはプロなので電源の容量とか、安全性の確保とか、電気回路とか、漏電防止とか、建築基準法の耐火性とか、床の施工の仕方とか、普通に『仕事』という感じで

──　全部自分たちでやる、ということですね

宮崎　やります

松本　みんな作家だから、あらかじめどこまで作品として制作して、どこからは現場で判断しなきゃいけない、という感覚はなんとなく分かるんです。現場での判断となった時に、技術的な専門性を確保していないと、最終的なドライブのかけ方が限定されてしまうことがありますよね。なので、そういった意味では各技術に特化した人間がこれだけいることは非常に心強いというか

宮崎　美術館に来る人って、大体何かのプロだろうなって思っていて。美術については素人かもしれないけれど、大体皆何かのプロ。その人たちが見て耐えられるような作品の作り方をするっていうのが、結構、重要な態度としてあります

西浜　電気屋も大工もね、見に来るからね

松本　そう、見に来るんだよね

水と空気、将来的な修復、美術館に望むこと

──　これまでに展示された中で一番苦労した、扱いが難しかった作品や素材について、教えていただけますか

宮崎　展示では大抵嫌な思い出しかない。その中でも水が一番大変だったかな

左から、篠崎、坂川、宮崎、梶原、松本、西浜

松本　水を大量に使うとやっぱり重くなる、質的な変化が起きる

宮崎　あと動くからね、流れちゃう。思っていたのと違う、あれ？みたいな

松本　水は結構使うメンバーがいて、宮崎さんもそうだし瀧口さんもそうだったし、あと『無条件修復』の時も水槽を買って船を浮かべたり、台所をギャラリーに作ったこともあったけど

坂川　未だに水をちゃんとコントロールできたっていうことがない

宮崎　あと空気。見えないからどこから漏れているのかわからない、水よりわからない

坂川　事後的になにかが起きてから分かるって感じだよね。破裂するとか

―――　美術館によっては、水を展示室に入れることを嫌がったりする館もありますよね？

松本　いや、もう嫌ですよねえ。だって、こっちだって嫌なんだもん。逆に嫌いだから扱っているっていうのもあるし

宮崎　そうだね

―――　展示時、搬入時など苦労なさることもたくさんおありだったと思うのですけれど、美術館側、展示スペースに望むことは何かありますか

松本　作品って我々もそうだけどやってみないと分からないから、美術館も受け入れてみないと分からないというか、そういうところはあると思うのですけれど。できる限り禁止事項は最初に挙げ

てもらいたいということ、積極的に協議できる環境、あとは設営中も協議できる柔軟性、というような感じでしょうか。私たちも、じゃあ作品を組み上げてそちらに持っていきますよ、というのではなくて、やはりその場所性や空間との関係性という問題もあったりするから、向こうに作品が到着してからの実践がどうしても大事。そうすると何が起きるか、完全には事前に想像できないですよね。想像できたら作品じゃないし

宮崎　不確定な要素ね

松本　そう、その不確定な要素をどうやって積極的に取り入れるか、それとも排除する方向に何か別の組み立て方するのか、その選択もしなきゃいけない。施工の段階で大事なものがなかったりして、急遽取りに帰ったりということもありましたし

梶原　たとえば岐阜県美術館での展示のときはケーブルだった気がする

宮崎　あのときはアダプター。何アンペアで何ボルトって決まっていたから

松本　アダプターって意外に穴で、電圧とアンペアと口の径の違い、その3つのハードルをクリアするものが近場で売ってなかったりするんですよね

―――　作品の展示中に、作品の電気系統の調子が悪くなってメンテナンスに行かれたりというようなことも多々あるかと思うのですけれど、非常に遠い海外などに作品が収蔵されたりして、誰かしらが修復やメンテナンスをしなきゃならないとなった時には、ご自身で作業なさりたいですか？それとも設計図などを送付して、指示通り

に作業をしてくれるのであればOK、というように、第三者にも任せられますか

松本　ものによるような気もするし、あとは多分どのぐらい修復する人を信用できるかという個別のケースが出てくると思う。基本的には、気持ちとしては任せたいけれど、任せた結果どうなるかの一例で、その後の守り方は変わっていきますよね

坂川　作品によりますよね

宮崎　僕らが作るもの、例えば水とか、扱いが難しいものには、やっぱり専門家みたいな人たちがいるわけですよね。その人たちがやってくれれば、まあ自分は図面書くだけとかなら、楽だなって思ったりもするけれど、でもどうだろうな。あんまりちゃんとしたもの作られても、みたいな

────　図面通りだからいいということではないところがありますよね

西浜　でも、作曲家なんかでも再演を嫌がる人はいるよね。それは、指名した演奏家によって、作曲家自身の想定通りの演奏を理想としてるからで、つまり再演によって別の解釈が入っちゃうことが嫌だというわけ

宮崎　たとえば、篠崎くんの作品とかだったら、あれじゃないの？接着剤で止められちゃったらどうするの。ここなんか浮いちゃってる、みたいに、水平を直されちゃうとか

坂川　それは一番なしの修復

梶原　ということも、でも、あり得るよ

松本　これはなし、という話が、通じなかったりもするから

────　リスクがありますよね

「タイムライン」展と時間のこと

────　時間、というものを、皆さんが今回、どのように展示空間内で見せようと考えておられるのかを、少しだけ聞かせてください

松本　スケールとしては、そもそも時間というものがあるのかどうか、という問題も含めて考えたいなというところです。田口さんが関わっておられるところでいうなら、修復の問題って、基本的には延命処置的な、時間を遅らせるという行為ですよね。つまり時間って可塑的なもの、断続的なもの、という感覚を、修復に携わっておられる方は持っておられるのではないかと。そういったところは、モノを扱っている我々も感じているところなので、こうした響き合いが上手いこと出てくるといいなと思っています。あとは

基本的に、劣化の仕方が素材によって異なるので、その辺りのこと、たとえば経年変化は素材の問題なのか、フォームという形の問題なのか、それとも変化のプロセスの問題なのか、というところから複数の時間性という問題を考えてみたいです

宮崎　あと、見ている人間の認識がそこに足されないと、時間が変わったという感じが生まれない。じゃないと、時間ってただエントロピーが増大するだけで。個人的な感覚だと、何かできごとが起こらないと、時間が経ったという感じがしないというのがあって

松本　そうだよね、できごとがないとね。しかも多分、いわゆるタイムベーストメディウムを使わずにそれをできるかどうかが、今回の取り組みの中でひとつ大きいところ。できごとは、ものが動けば演出できると思うけれど、そうじゃないところでどれだけできるかという

宮崎　基本的に、展示で作品を見ても、そこで時間が経っているって思わないよね

松本　思わない

坂川　映像とか、音楽とかなら

宮崎　あるけど、まあその辺がね、どう見せるかっていうか、想像させるかっていうか

鍾乳洞モデル制作風景
（酸性トイレ用洗浄剤で、石灰等を含むコンクリート塊を溶かしている様子）

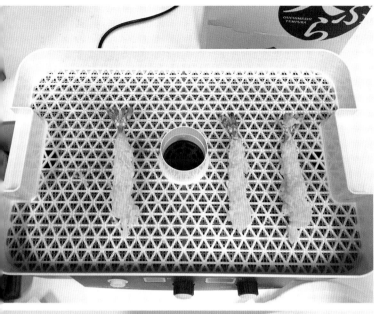

エビ天（フードドライヤーによる脱水と、その後のペーパーによる脱脂の様子）

坂川　絵画というものが時間芸術だという認識が、若い子と話すとあんまりないように感じることがある

松本　基本的に多分『タイムライン』という言葉からは線的な時間を想像しがちだけれど、俯瞰してみると、やっぱりノンリニュアルなタイムラインというものが存在すると思うので、モノを扱う上でこれをどう表現できるか、というところだと思うんですよね

坂川　そうだ、副題はあれでしたよね？

──　『時間に触れるためのいくつかの方法』というのにしようと思っていて

宮崎　まあだから、基本、時間には触れられない、という線を引いた上での展示だもんね

松本　時間というものがあるかどうか、まず、分からないしね

──　そうですね。私が調査してきた井田照一の作品だと、実際にその触れられない不確定な時間のようなものが、光学写真を通じてうっすら見えてくるように思うんです。経年の過程で作品組成が徐々に変わって今がある、という変遷を見直していくと、この作品上では、時間はラインではなくレイヤーで重なったり、消えたりしている。それも1つ1つ独立したレイヤーというよりは交錯して混ざり合っているんです

篠崎　互いに影響し合ったりしちゃいますからね

──　はい。上が下になり、下が上になり、混沌と層になっているもの、そういう時間の在り方を面白く展示できたら、ということは、ひとつ、井田作品に関しては思っています

松本　しかも物質の変化って、多分、夏に観察した時と、冬に観察した時だと経年しているように見えるけれど、次の夏見たらまた戻っていたりする可能性もあるだろうし。可能性として、そういう遠隔な運動もあったりもしますよね

宮崎　使うと生き返るとかね

松本　その辺りも含め、考えてみたいですよね

加藤巧
Takumi Kato

「作品の記述」は未来の受け手を想像し、
情報を残す方法のひとつ

加藤巧は、本展覧会の実行委員であり、出展作家であり、「タイムライン」展を田口かおりと共に立ち上げて練り上げてきた企画立案者でもある。本展の企画が動き始めたのは2015年のことで、加藤はその頃「材料」を基点に表現全般を捉え直していくことを試みており、その過程で、美術作品の保存修復という主題に接近していた。加藤自身も述べるように、彼が採用している「瞬間的な筆致を微細な筆で置き直す」という制作方法は、それ自体、動作として、保存修復作業の中で行われる「補彩」と重なるところがある。一方、当時の田口は、現代美術の保存修復において光学調査を取り入れながら、作品の組成を明らかにし、作品に訪れる物理的・外観的な変化について――言うなれば、作品の「寿命」や「延命」について検討を始めていた。分析的に個々の作品の材料や技法や来歴を検討すること。作家と修復士が対話を重ねながら、作品の保存や未来を考えること。それは、作品を制作する側にとっても、保存修復する側にとっても、美術館にとっても、ひいては美術に関わるありとあらゆる人々にとっても少なからず意義があることなのではないか――そのような二人の会話から、作品の「生」を考えるプラットフォームとしての展覧会を開催する、という案が浮上したのである。

「タイムライン――時間に触れるためのいくつかの方法」という本展覧会の名付け親は、加藤である。加藤は、この語がもつ直線的なイメージが、ひるがえって、作品の内外に立ち現れる複数的で多様な時間の特徴を炙り出すことになる、と考えていた。現在から過去へ、または未来へ、もしくは様々な時間のあり方が偏在するような状態としての展覧会、それが、「タイムライン」展のイメージとして二人の間で共有されたのは、2017年の冬頃のことであった。

後述にもあるように、加藤は、今回の作品制作において、修復分野において採用される光学分析の手法を積極的に採用している。加藤の制作の根底には、描くとは一体どういうことなのか、という根源的な問いがあるが、そこで実施されてきた「筆致／痕跡を置き直す」作業が、「タイムライン」展では、紫外線、赤外線、斜光線、蛍光X線など、様々な異なる光学画像で作品を「写す／移す／記録する」行為の中に応用されている。保存修復調査において、紫外線や蛍光X線を用いた分析は、肉眼では見ることのできない作品の下層を明らかにしたり、絵具の組成を分析するために用いられる。こうした調査分析の手法が、加藤の作品では、作品の一部を成し、かつ、作品のドキュメンテーションとなり、同時に作品の組成と構造をつまびらかにするためのキャプションとして、二重三重の機能を果たしている。

作品本体の中に「記録」の装置を組み込みながら、井田とはまた異なるかたちと方法で、作品の表＝目に見えているものと、裏＝目に見えていないものを詳細に記述する加藤の作品は、一作品の視覚イメージとしての特異な魅力を放ちながら、同時に、今後の保存科学や技法材料学に貢献しうる基礎資料としても機能する可能性を秘めている。

色材と展色剤を用いて（手や筆の動きなどの）行為を定着する、というのが絵具の原理であるが、その営みに介在しているのは「紙（支持体）」「顔料（色材）」「アラビアゴム（展色剤）」のような物質たちだ。これらは程度の差はあれど、例外なく経年変化する。《Pic-Cells》は、描画から分析までのプロセスを制作手法に取り込み、さらに「複数の方法で保存されうる絵画」として提示する作品である。

1　紙に水彩作品を制作する［A］。紫外線によって彩度が変化しやすい色材を選び、規則的な縦横方向の筆致で描画する。サイズは、［5］で使用する蛍光Ｘ線分析の分析範囲を基準に決定している。あとで参照するため、スキャンしておく。

ドラゴンズブラッド（竜血）を水彩メディウム（アラビアゴム30％溶液：3／グリセリン：1／飽和砂糖水：1）で練り合わせる

重金属の顔料とアセトンで溶解したアルデヒド樹脂を練り合わせ、固形の状態にした自作絵具。アセトンで再溶解しながら描画する

ビスタ
4
↕
セピア
6
↕
サップグリーン
10
↕
ガンボージ
12
↕
インディゴ
8
↕
ドラゴンズブラッド
2
↕

2   ［1］の水彩作品を切り分ける［A'］。切片に異なる照射時間を割り当て、それぞれキセノンアークによる
紫外線に暴露する。各水彩の色材は段階的に褪色する［A"］。

規則的に塗られた水彩作品［A］
水彩紙（Waterford 中目 300g）
H330×W180mm
矢印は筆の方向、番号は描き順

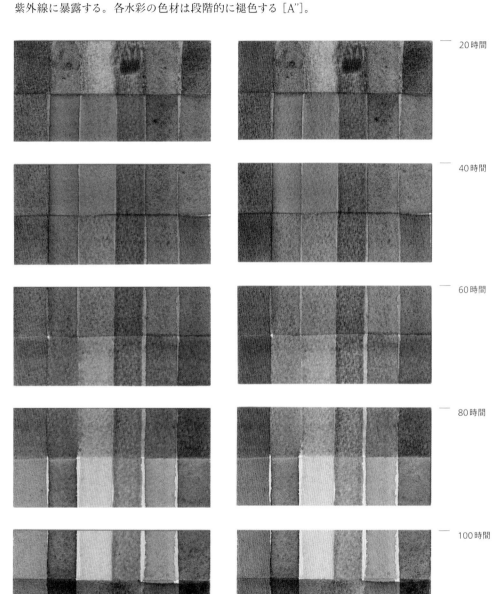

照射時間

20 時間

40 時間

60 時間

80 時間

100 時間

切り抜かれた水彩作品［A'］
各 H50mm×100mm

切り抜かれた水彩作品の
キセノンアークによる紫外線暴露実験後［A"］

［試験方法］
キセノンアーク灯光照射条件
使用機器：キセノンアーク灯光式ウェザーメータ　アトラス Ci4000
ランプ：水冷式 6.5kW キセノンランプ
フィルタ：内側 / 外側 S タイプほうれい酸ガラス / ソーダライムガラス
放射照度：50W/㎡（300-400nm）
ブラックパネル温度：(63±2)℃
槽内温度：(38±3)℃
相対温度：(50±5)%rh

3

絵具と石膏地の支持体を作る。顔料は、蛍光Ｘ線分析によって
検出しやすく、経年変化しにくい重金属系のものを中心に選択し、
アセトンで溶解したアルデヒド樹脂（81）と一緒に練り合わせ、
絵具にする。支持体制作は14–15世紀フィレンツェの処方を基
に調整している。

使用顔料

チタニウムホワイト	ビリジャン
バフチタニウム	ウルトラマリン
シルバーホワイト	コバルトブルー
硫酸バリウム	フタロシアニンブルー
アイボリーブラック	ローアンバー
レッドオーカー	蛍光顔料（ピンク）
バーミリオン	蛍光顔料（青）
カドミウムレッド	蛍光顔料（緑）
アリザリンクリムゾン	蛍光顔料（レモンイエロー）
イミダゾロンオレンジ	蛍光顔料（オレンジ）
カドミウムオレンジ	パールホワイト
イエローオーカー	パールコパー
オーレオリン	パールゴールド
鉛・錫──黄（ジャロリーノ）	金粉
アースグリーン	銀粉
マラカイト	アルミ粉
カドミウムグリーン	グラファイト
クロムオキサイドグリーン	錫粉

重金属の顔料とアセトンで溶解したアルデヒド樹脂を練り合わせ、固形の状態にした自作絵具
アセトンで再溶解しながら描画する

石膏地作品 ［B］
各H50×W100mm
木材、亜麻布、二水石膏、アルデヒド樹脂（81）、顔料
重金属系の顔料を意識的に混交しながら、点描的に筆致を再構成している

4

［1］でスキャンした水彩作品［A］の筆致をモチーフにして、石
膏地作品を制作する［B］。［A］の筆致と色彩を観察し、［3］
の絵具を用いて細筆で点描的に描き、再構成する。一般に、
水彩紙よりも石膏地作品の方が経年による変化が少ないと期待
できる。

5

[4]の石膏地作品［B］を蛍光X線分析し、検出された元素に
R、G、Bの色情報を割り当てる（元素マッピング）。元素マッピング
によって、石膏地作品上に存在する元素の情報を図像に置き換
える［C］。任意の大きさに出力し、ラミネート加工する［C'］。

HORIBA はかる LAB での蛍光X線分析

石膏地作品の元素マッピングデータ［C］
上記図版は実際のマッピングデータ（RGB合成画像）
256×128 pixel（5枚組）
展示では 250×500 mm（5枚組）、インクジェットプリント、グロスラミネート
（協力：株式会社堀場テクノサービス、久保田健司）

RGB への割り当ては上から
R:カリウム　G:コバルト　B:鉛
R:鉄　G:クロム　B:鉛
R:鉄　G:水銀　B:カルシウム
R:錫　G:水銀　B:カルシウム
R:カリウム　G:コバルト　B:チタン

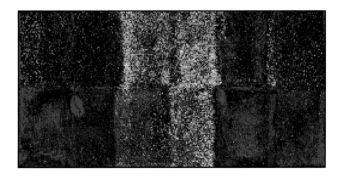

6 　以上のプロセスによってできた一連の制作物（［A］の残存物、［A″］、［B］、［C］のデータ入りCD-R、［C'］）を並べて展示する。

自分が死んだ後に、作品が残らないように／
インストーラーの眼＝記録者の眼

　土方大は、作家として参加するのみならず、「タイムライン」展の実行委員
及びインストーラーを兼任した。多様な素材から構成される作品の保存と修
復、安全な展示方法の確立が急務とされる現代美術の分野において、イン
ストーラーは昨今、不可欠な存在とされている。絵画、彫刻、映像、光学
調査の成果、素材そのものなど、いわば「様々なモノ」を展示することを当
初から計画していた「タイムライン」展では、個々の事物についてどのよう
な展示方法が可能かを検討し、実験し、実践しする人材として、インストー
ラーを実行委員会に迎えるという方針が当初から定まっていた。かくして、
数多くの芸術祭や展覧会のインストールを担当してきた豊かな経験をもつ
土方が「タイムライン」展チームに加わり、全体が動き出した。

　土方が本展に加わることになった経緯を振り返りながら、彼が「タイムラ
イン」展において果たしたふたつの大きな役割を思う。

　第一に、「会期の終了＝展示作品の物理的な消滅」が定められている作
品を展示し、そのドキュメンテーションの是非を問うたこと。土方は、これ
まで、気温や温度、光などの外的要因によって形態を変化させる作品を制
作してきた作家である。時間を経るにしたがって変形し、時に状態を変え、
増減さえする「可変的な」土方の作品は、近代以前には存在しなかった構
造の作品をいかに私たちは未来へ継承するのか、という、現代美術保存修
復の課題を体現する作品とも捉えうるものである。時間というものの正体に
ついて、あるいは作品はいつ生まれいつ死ぬのかについて、ダイレクトな
問いを突きつける力を持つ作品とも言えよう。

　各作家の展示プランや分析方法の検討を共に重ねてきた土方が、自身の
作品についてどのような「記録」や「保存」を選択するのかは、非常に興
味深いところであった。後に開催されたシンポジウムで、土方は、「自分が
死んだ後に、作品が残らないようにしたい」と明言している。実際のところ、
土方の作品《Artificial Garden》は、尿素、人造石からなる作品で、会期
を通じて成長し、結晶化して、やがて崩壊へ向かう。展示開始時と終了時
では全く異なる外観を呈する《Artificial Garden》の素材選択には、自然
に還っていくものを使用する、という作家の意思が反映されている。本展は、
作家の意図により「物理的には残らない」作品について、どのような記録の
方法が可能になるのか、提案を試みる場ともなった。《Artificial Garden》
では、制作過程から展示時までの過程及び状態変化を定点カメラで記録す
ることで、将来的な再制作が仮に行われた際にも参照可能なドキュメンテー
ションの集積を目指している。

　第二に、「インストーラーの眼＝記録者の眼」をもって、土方が収集した
情報の集積について重ねて触れておきたい。展覧会それ自体の成り立
ち――タイムライン――をも保存し公開することを目指した本企画において、
土方の「眼」は、展覧会成立過程において交わされたやり取りをくまなくアー
カイヴし、タスクを整理し、参加者が議論しやすく情報にアクセスしやすい
プラットフォームを作成していった。展覧会全体の構成、什器の確認、人員
の確保、資材の調達、設営撤去の段取り等、必要な仕事をまとめ、実行計
画を立てていく土方の「眼」は、企画全体を見晴らす大きな「眼」でもあった。

制作記録

土方大 《Artificial Garden》 2019

制作プロセス

2018年 - 2019年3月24日
素材実験、作品プラン試行錯誤

2019年2月
素材買い出し、素材テスト

3月
素材テスト

3月24日
人造石：試作品作成／尿素結晶：濃度テスト

3月25日–4月1日
状態変化確認

4月13日
人造石を作成し、乾燥させる

4月14日
仮設置テスト、ターポリン発注

4月15日
梱包、輸送

4月19日
ターポリン、養生設置／人造石と尿素結晶用の
トレーを交互に配置／尿素結晶精製ブース設置

4月20日
尿素結晶用の水溶液を生成し、トレーへ流し込む

4月21日
作品状態：トレーの縁が結晶化し始めた

4月22日
清掃、ライティング／作品状態：濃度を高めた
トレーが結晶化し始めた

4月23日
メンテナンス（以後、メンテナンスはせず作品自身が
成長し崩壊していく）／作品状態：人造石が隣接し
た尿素結晶の水溶液を吸い上げ、土の色が濃
く変色。全体の2割程が結晶化。残りは結晶化
する前段階の白濁した塊になっている

5月11日
作品状態：完全に結晶化。結晶の枝は尖って
おり、増殖が広がり人造石を覆いつつある

5月20日
作品状態：結晶が増殖限界を迎えた。尖った
枝がなくなり、半分以上が胞子状の形態に変
化。人造石は全体の半分程結晶に覆われ、人
造石自体も一部結晶化している

6月8日
作品状態：結晶が全体的に胞子状の形態に変
化。結晶はこれから崩壊していくが人造石はそ
のまま残り続ける

6月25日
作品状態：結晶が所々が崩れている。人造石
は前回から変わらず

尿素結晶

道具

- IHコンロ……1台
- 1L ボウル……10個
- 漏斗……1–2個
- はかり……1–2台
- 計量カップ……1–2個
- 攪拌棒……3–10本程度
- ケトル……1台
- トレー……複数

素材

- 尿素……600 g
- 水……500 ml
- 洗濯糊……20–30 g
- 洗剤……20–30 g

工程

1. ボウルに素材を全て入れ、尿素の粒が全て溶けるまでIHコンロで加熱する
   完全に沸騰すると臭気を発するので、攪拌しながら煮立つのを防止する
   攪拌がしっかりしていないと結晶化しにくく、洗濯糊と洗剤は入れれば入れる
   ほど硬化速度があがり、結晶の形も変化する
2. 1で生成した水溶液をトレーに流し込む
   気温や湿度、濃度によって異なるが30–60分程度で結晶化が始まる

結晶化の流れ

人造石

道具
- ふね……1台
- スコップ……1本
- ジョウロ……1台
- トレー……複数
- コテ……1丁

素材　トレー1枚に対して
- まさ土……3 kg
- 消石灰……300 mg
- 水……400 ml

工程
1. ふねにまさ土と消石灰を入れ、スコップを使って混ぜ合わせる
2. 混ぜ合わせた土をトレーに入れる
3. トレーに水を多めにかけて表面をコテでたたいて均す
4. 24時間以上放置し、土が乾いていればトレーから取り出す

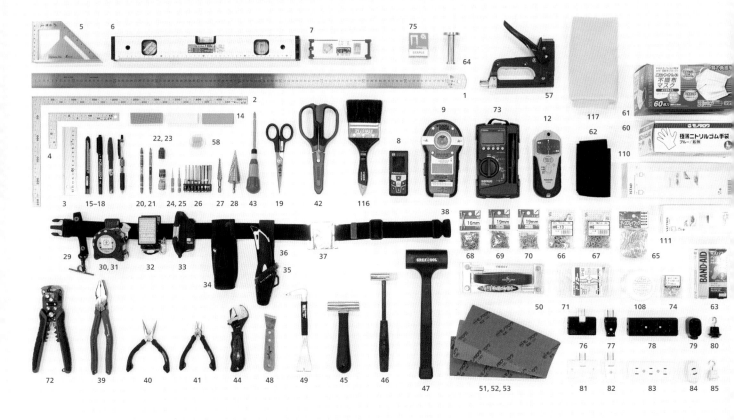

測量

1　TOO ステンレス製直定規 100cm 20100051-00001
2　シンワ測定 シルバー曲尺 厚手広巾 50cm 10405
-　シンワ測定 直尺 シルバー 30㎝ 13013
3　シンワ測定 アルミ直尺 アル助 15cm 65498
4　シンワ測定 曲尺厚手広巾 シルバー 15㎝ 10435
5　シンワ測定 止型スコヤ 62081
6　新潟精機 アルミ水平器 マグネット付 450mm ALN-450
7　新潟精機 超磁力レベル NL-150KW
8　BOSCH レーザー距離計 GLM500
9　BLACK + DECKER スタッドセンサー BDL190S
-　VOICE グリーンレーザー墨出し器 5ライン VLG-5X
10　恒昌光電 レッドレーザー墨出し器 8ライン GPS-8H
11　TAJIMA エレベーター三脚 1500 ELV-150
12　Panasonic 乾電池式壁うらセンサー EZ3802
13　BIGMAN リール巻ナイロン水糸 細 グリーン LE-172

文房具

14　3M ポストイット 強粘着 ネオンカラー
　　50×15mm 7001SS-NE
15　オルファ 細工カッター 141B
16　ゼブラ 油性ペン マッキー 極細 黒 5本
　　P-MO-120-MC-BK5
17　ゼブラ 油性ペン マッキー 極細 赤 5本
　　P-MO-120-MC-R5
18　ゼブラ ジェルボールペン サラサクリップ 0.5 黒
　　5本 P-JJ15-BK5
-　三菱鉛筆 鉛筆 ユニスター B1
19　オルファ リミテッド SC Ltd-10

ビット

20　兼古製作所 龍靭ビット +2 110mm ARTM-2110
21　兼古製作所 龍靭ビット +1 110mm ARTS-1110
22　TRUSCO マグキャッチ TMC-GN
23　ベストツール 簡単アダプター（下穴ギリ用）SA-3
24　高儀 ちょっとだけ下穴ドリル 2.0mm
25　高儀 ちょっとだけ下穴ドリル 3.0mm
26　高儀 六角ビットセット 4907052338104
27　高儀 スパイラルステップドリル チタンコーティング
　　φ3–12mm 10段 SDT-1
28　高儀 スパイラルステップドリル チタンコーティング
　　φ4–30mm 14段 SDT-3
-　トップ工業 六角シャンクテーパー下穴錐 ETK-2.5
-　H&H 六角軸面取りカッター CS6-16

腰回り

29　DENSAN テープフッカー BC-18C
30　KOMELON マググリップ両面 25mm KMC-32D-5.5/25
31　ムラテック KDS セフティメタルホルダー SH-01
32　TAJIMA スマートキャッチ 10 ワイヤー AZ-SMC10W
33　TAJIMA 着脱式工具ホルダーグラス カラビナ
　　SFKHR-C
34　SK-11 コテホルダー SC-1
35　TAJIMA ドライバーカッター L500 セフホルスター
　　オートロック DC-L500YSFBL
36　TAJIMA ドラフィン L561 DFC-L561W
37　SK-11 インパクト用スイングホルダー SISH-M マキタヨウ
38　SK-11 ワンタッチバックル作業ベルト SB-OT38 ブラック
-　SK-11 革製ビスポケット四角型 SBC-2SQ

握・挟

39　エンジニア ネジザウルス EL PZ-78
40　エンジニア ミニチュアラジオペンチ PS-01

切断

41　エンジニア マイクロニッパー NS-04
42　エンジニア 鉄腕ハサミ DP PH-57
-　シルキー ゴムボーイ 万能目 240mm 121-24

締緩

43　SUNFLAG ラチェットプロ 1236-RH
44　E-Value ショートモンキーレンチ ESM-160
-　SK-11 ラチェット式 モンキーレンチ 28mm SRM-200S

打撃

45　Pockety 両口ハンマー 12094
46　須佐製作所 コメットハレーツイン 13524
47　GREATTOOL ショックレスハンマー 1.0 ポンド
　　GTHS-8

研削・研磨

48　sakazume 豆プロ刀付スクレーパー MPS-2
-　大塚刷毛製造 Y型皮すき 60mm 38107657
49　土牛 グリップインテリア用バール 200mm
　　V型 No. 01913
50　坂爪製作所 ハンドサンダー クリップ式
　　70×200mm HSC-200
51　モノタロウ 研磨布シート 粒度 80 32030133407
52　モノタロウ 研磨布シート 粒度 180 32030133407

53　モノタロウ 研磨布シート 粒度 240 32030133407
-　TAJIMA タタックナイフ DK-TN80

電動工具

54　makita 充電式インパクトドライバ 18V 5.0Ah 黒
　　TD148DRTXB
55　MAX 充電式ピンネイラ 18V 5.0Ah
　　TJ-35P4-BC/1850A
56　makita 充電式ペンインパクトドライバ 7.2V 1.5Ah
　　TD022DSHXB
-　makita 充電式マルノコ 165mm HS631DGXS

その他

57　MAX ガンタッカー TG-A

安全保護具

58　無印良品 耳栓・ケース付 7030440
59　ショーワグローブ 組立グリップ L No370
60　モノタロウ ニトリル手袋 35779143
-　TAJIMA ハードグラス HG-5 トウメイ HG-ST
61　大衛株式会社 NID 耳にやさしい不織布マスク
　　ふつう 60枚 ホワイト
-　モノタロウ パッド 養生あて 100×120 MSD103
-　光 ゴムロール巻き GR3-550
62　光 硬質フェルト PQ7141
63　BAND-AID キズパワーパッド 大きめサイズ
　　B06XZ388L1

再生機器

-　プリンストン デジ像 ハイレゾ対応ネットワークメディ
　　プレーヤー PAV-MP2YTHR

什器

-　BESTEK テレビ壁掛け金具 26–65 in BTTM069
64　uxcell ウォールフック a15082600ux0799
-　アズワン スチロールシャーレー
　　φ52×10mm 10枚 2-127-01

照明

-　ELPA ライティングバー コンセント型 1m LRC-100

金具

65　ニッサチェイン ディスプレイフック IDH23
66　八幡ネジ ステンレスワッシャー M6×13mm
67　八幡ネジ ステンレス六角ナット M6

八幡ネジ 丸釘 16mm

八幡ネジ こびょう 19mm

八幡ネジ ステン釘 19mm

サンコーテクノ トメラー TM-A-P50

電工

エンジニア マルチワイヤーストリッパー PAW-01

SANWA デジタルマルチメータ CD800a

KHD ビニル平形コード VFF 灰 VFF1.25SQ

ニチフ 裸圧着端子（Y形Eタイプ）先開形 1.25Y-3LE

カワグチ 絶縁ステップル No.3/4

NICOH ソフト延長コード 15A 10mコード 3個口
（ブラック）NCT-1510BK

オーム電機 テープ付きモール 1号 白 1m 00-4512

オーム電機 テープ付きモール 2号 白 1m 00-4576

オーム電機 モール用パーツ 曲がり 1号 白 09-2201

オーム電機 モール用パーツ 曲がり 2号 白 09-2202

Panasonic スナップタップ（ブラック）WH2123BP

Panasonic スナップキャップ（ブラック）WH4021BP

Panasonic ベターテーブルタップ（4コロ）（ブラック）
WH2164KBP

Panasonic 抜け止めコンセントプラグ（ブラック）DH8530

Panasonic 吊りフック（ブラック）DH8543B

Panasonic スナップタップ（ホワイト）WH2123WP

Panasonic スナップキャップ（ホワイト）WH4021WP

Panasonic ベターテーブルタップ（4コロ）（ホワイト）
WH2164KWP

Panasonic 抜け止めコンセントプラグ（ホワイト）
DH8540

Panasonic 吊りフック（ホワイト）DH8543

ケーブル

エレコム HDMIケーブル 1.0m ブラック
DH-HDP14E10BK

UGREEN 3.5mm to 2RCA Audio Cable - 1M 10749

テープ・養生

ダイヤテック つや消しテープ 影武者
幅50mm 長さ25m M-08-BK

河内カラー パーマセルテープ
幅25mm 長さ54m 35963

モノタロウ 布テープ 幅50mm 長さ25m 73657684

SEKISUI フィットライトテープ No.738

コーナン 多目的用厚手両面テープ
幅50mm×長さ15m 4.55E+12

91 日東 一般用両面テープ J0710

\- 日東 建築塗装用マスキングテープ
幅50mm 長さ18m No. 720A

92 日東 建築塗装用マスキングテープ
幅21mm 長さ18m No. 720A

93 Scotch メンディングテープ
幅15mm×長さ50m 0810-3-15

94 3M はがせる両面テープ 超透明 厚手
幅15mm×長さ1.5m KRT-15

95 ハンディ・クラウン 布コロナマスカー
2100mm×15.5m 2098042100

96 ハンディ・クラウン 布コロナマスカー
2600mm×15.5m 2098042600

\- 中川ケミカル リタックシート 透明 450mm×12m

\- 中川ケミカル カッティングシート 黒 450mm×12m 791M

97 大塚刷毛製造 ノンスリップシート
幅1800mm×長さ100m 240205 1800

98 アイリスオーヤマ ホワイトシート ロール
幅900mm×長さ50m 900-50

束

99 ハンディ・クラウン ストレッチフィルムセット 幅
100mm×長さ150m HCF-100S

\- TRUSCO ストレッチフィルム
厚みμ25×幅50mm×長さ300m TSF-25-50

100 コメリ ロックタイ 200mm 白 XLS200W-100

101 コメリ ロックタイ 250mm 黒 XLS250-100

102 八幡ネジ バインド線 1.6mm 4.98E+12

\- コメリ PPロープ 5mm×100m KR-5 (100)

103 共和 オーバンドたばね #25×5 黒 GKS105TBK

104 高木 ナイロンテグス 10号 228211

接着

105 コクヨ ひっつき虫 タ-380

106 3M コマンドタブ cm3PSS-120

107 コニシ ボンド ウルトラ多用途 S・U プレミアムソフト
クリヤー 25ml #05141

108 スガツネ工業 転倒防止用クリアミュージアムジェル 33111

\- ヨトリヤマ プラスチックヘラ 60mm 35734641

\- 井上工具 ラバーヘラ 125mm 756-3507

ビス

109 海王 ビスホジ BH-GD

\- コメリ スリム粗目造作ビス徳用箱 3.3×30mm
半ねじ 10452444

\- コメリ スリム粗目造作ビス徳用箱 3.3×50mm
半ねじ 10452432

\- コメリ スリム粗目造作ビス徳用箱 3.8×75mm
半ねじ 10452418

\- 若井産業 W引寄ビス 4.2×45mm WH00045

\- 若井産業 W引寄ビス 4.4×65mm WH00065

収納

110 IKEA ジップロック 大、中 203.468.02

111 IKEA ジップロック 小 403.852.89

\- TRUSCO 折りたたみコンテナ CR-S50N-TM

\- リングスター スーパークラブパーツ クリア RP-300

\- リングスター スーパーピッチ 5.5mm L & R SPW-1500

\- TRUSCO ツールトレー 487-6237

\- モノタロウ ツールボックス 透明パーツケース 4個収納
大 29903423

\- DENSAN ベルトパーツボックスミニ BPS-3814

\- TASCO 多目的収納ケースブラック TA981N-1

電池

112 Panasonic 単3形単4形
ニッケル水素電池専用急速充電器 BQ-CC55

113 Panasonic エネループ 単3形充電池 BK-3MCC

\- Panasonic エネループ 単4形充電池 BK-4MCC

印刷

\- 積水化成品工業 のり付きボード NK タック II
FA5-600-900S

\- EPSON プロフェッショナルフォトペーパー
〈厚手半光沢〉PXMC44R2

\- コクヨ カードケース クリアケース 硬質 A3 クケ-3013

\- コクヨ コピー用紙 A3 紙厚 0.09mm 500枚 KB-38N

\- コクヨ OHPフィルム カラーレーザー カラーコピー
A4 10枚 VF-1421N

補修

114 レッドデビル ONETIME 0.5L 0548/GB

\- エスコ 60mmパテヘラ EA579AJ-22

清掃

115 makita 充電式クリーナ CL142FDRFW

116 TRUSCO ダスター刷毛 2インチ 50mm TPB3562

117 モノタロウ ウエス マイクロファイバー ミックス品 MF-MIX

\- ジャパックス 業務用極厚ポリ袋 PL98

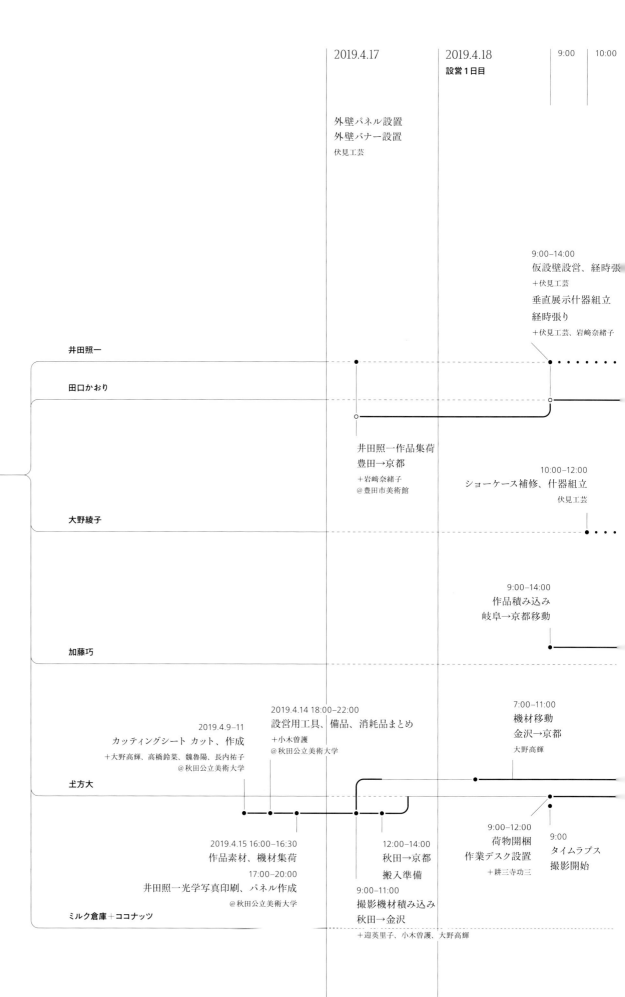

搬
入

2019.4.17

2019.4.18
設営1日目

9:00　10:00

外壁パネル設置
外壁バナー設置
伏見工芸

9:00–14:00
仮設壁設営、経時張
＋伏見工芸
垂直展示什器組立
経時張り
＋伏見工芸、岩崎奈緒子

井田照一

田口かおり

井田照一作品集荷
豊田→京都
＋岩崎奈緒子
＠豊田市美術館

10:00–12:00
ショーケース補修、什器組立
伏見工芸

大野綾子

9:00–14:00
作品積み込み
岐阜→京都移動

加藤巧

7:00–11:00
機材移動
金沢→京都
大野高輝

2019.4.9–11
カッティングシート カット、作成
＋大野高輝、高橋鈴菜、魏魯陽、長内祐子
＠秋田公立美術大学

2019.4.14 18:00–22:00
設営用工具、備品、消耗品まとめ
＋小木曽護
＠秋田公立美術大学

土方大

2019.4.15 16:00–16:30
作品素材、機材集荷
17:00–20:00
井田照一光学写真印刷、パネル作成
＠秋田公立美術大学

12:00–14:00
秋田→京都
搬入準備

9:00–11:00
撮影機材積み込み
秋田→金沢
＋迎英里子、小木曽護、大野高輝

9:00–12:00
荷物開梱
作業デスク設置
＋耕三寺功三

9:00
タイムラプス
撮影開始

ミルク倉庫＋ココナッツ

11:00　12:00　13:00　14:00　15:00　16:00　17:00　18:00　　　　**2019.4.19**　　9:00　10:00　11:00　12:00　13:00
　　　　　　　　　　　　　　　　　　　　　　　　　　　　　　　　設営2日目

11:00–17:00
会場マップ作成
清水泰介、熊谷篤史

入口カッティングシート設置
耕三寺功三、大野高輝、吉良穂乃香、山本晋也

9:10–12:00
ショーケース密閉養生
温湿度調整
＋伏見工芸、岩﨑奈緒子、清水泰介

14:00–15:00
作品コンディションチェック、設置
＋伏見工芸、岩﨑奈緒子、清水泰介

10:00–11:00
作品コンディションチェック

13:00–15:00
垂直展示用什器経時張り
＋伏見工芸

15:30–17:00
井田照一、未公開作品集荷
＠イダショウイチスタジオ

11:00–12:00
垂直展示作品設置
伏見工芸、岩﨑奈緒子、清水泰介

12:00–13:00
昼食
＠京都大学 カフェテリアルネ

12:00–13:00
昼食
＠京都大学 カフェテリアルネ

14:00–15:30
展示準備、
作品開梱
＋耕三寺功三、大野高輝、清水泰介

9:10–12:00
作品仮置き、
位置の確定

9:00–9:10
ラジオ体操
＋全員

16:00–17:00
翌日作業準備
ポスター、インフォメーション設置
＋耕三寺功三、大野高輝、清水泰介

17:30–18:30
買い出し
ホームセンター
＋大野高輝

10:30–12:00
荷物開梱
耕三寺功三、吉良穂乃香、山本晋也

11:00–11:30
乗用車到着
機材積み下ろし
＋耕三寺功三、大野高輝、清水泰介

15:30–16:00
飛散防止用ターブ組み立て
＋耕三寺功三、大野高輝、清水泰介

9:10–12:00
床面養生
ターポリン設置
＋耕三寺功三、
吉良穂乃香、山本晋也

10:00–10:30
トラック到着、作品積み下ろし
＋新潟運輸、耕三寺功三、大野高輝、
吉良穂乃香、山本晋也、清水泰介

9:00
メンバー到着

10:30–12:00
ハイエース到着
積み下ろし

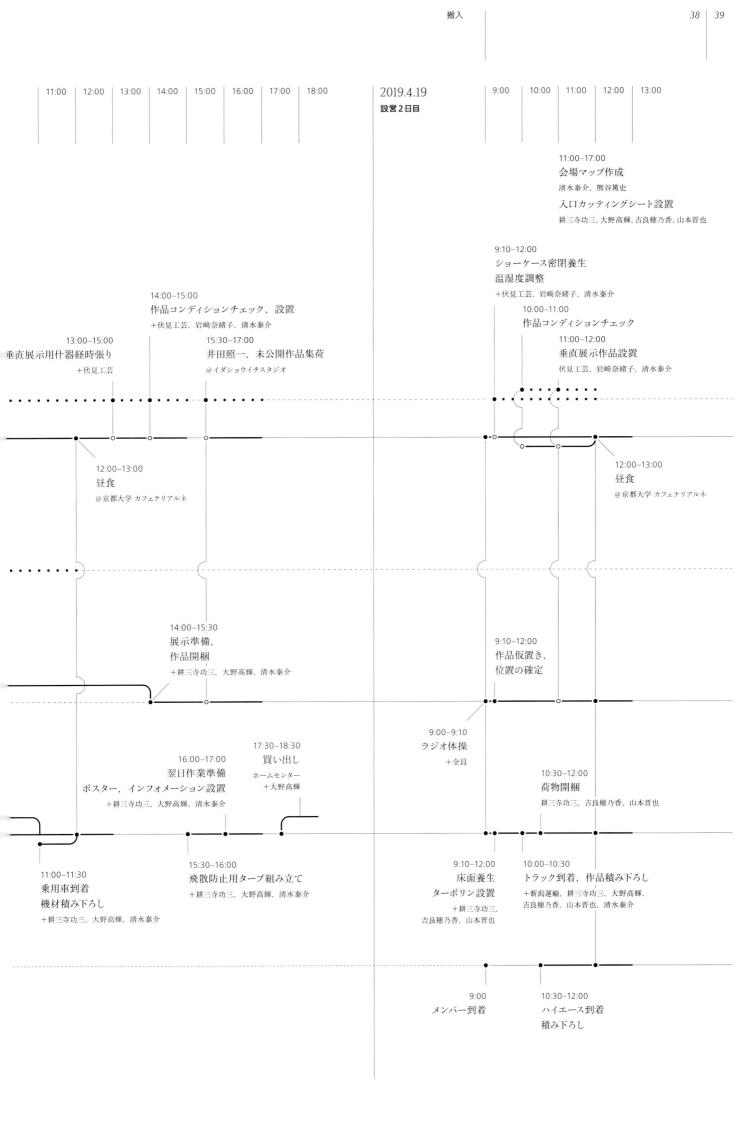

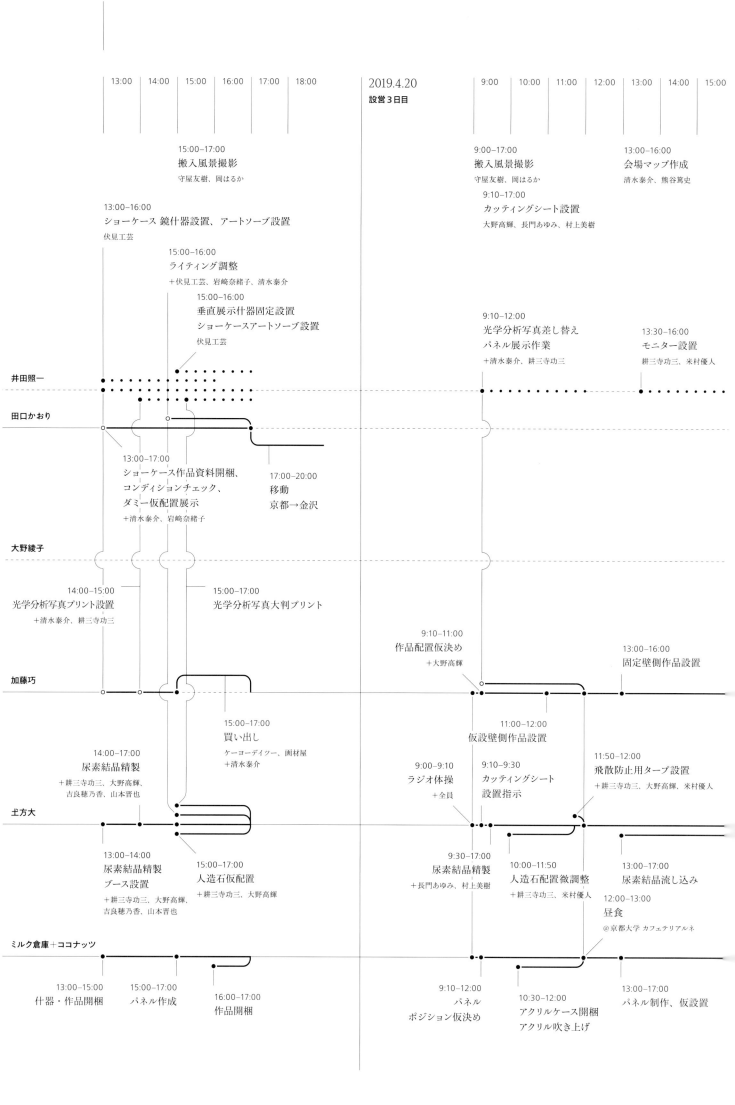

2019.4.20
設営3日目

13:00　14:00　15:00　16:00　17:00　18:00　　　　　　　9:00　10:00　11:00　12:00　13:00　14:00　15:00

15:00–17:00
搬入風景撮影
守屋友樹、岡はるか

9:00–17:00
搬入風景撮影
守屋友樹、岡はるか

13:00–16:00
会場マップ作成
清水泰介、熊谷篤史

13:00–16:00
ショーケース 鏡什器設置、アートソーブ設置
伏見工芸

9:10–17:00
カッティングシート設置
大野高輝、長門あゆみ、村上美樹

15:00–16:00
ライティング調整
＋伏見工芸、岩﨑奈緒子、清水泰介

15:00–16:00
垂直展示什器固定設置
ショーケースアートソーブ設置
伏見工芸

9:10–12:00
光学分析写真差し替え
パネル展示作業
＋清水泰介、耕三寺功三

13:30–16:00
モニター設置
耕三寺功三、米村優人

井田照一

田口かおり

13:00–17:00
ショーケース作品資料開梱、
コンディションチェック、
ダミー仮配置展示
＋清水泰介、岩﨑奈緒子

17:00–20:00
移動
京都→金沢

大野綾子

14:00–15:00
光学分析写真プリント設置
＋清水泰介、耕三寺功三

15:00–17:00
光学分析写真大判プリント

9:10–11:00
作品配置仮決め
＋大野高輝

13:00–16:00
固定壁側作品設置

加藤巧

15:00–17:00
買い出し
ケーヨーデイツー、画材屋
＋清水泰介

11:00–12:00
仮設壁側作品設置

14:00–17:00
尿素結晶精製
＋耕三寺功三、大野高輝、
吉良穂乃香、山本晋也

11:50–12:00
飛散防止用タープ設置
＋耕三寺功三、大野高輝、米村優人

9:00–9:10
ラジオ体操
＋全員

9:10–9:30
カッティングシート
設置指示

土方大

13:00–14:00
尿素結晶精製
ブース設置
＋耕三寺功三、大野高輝、
吉良穂乃香、山本晋也

15:00–17:00
人造石仮配置
＋耕三寺功三、大野高輝

9:30–17:00
尿素結晶精製
＋長門あゆみ、村上美樹

10:00–11:50
人造石配置微調整
＋耕三寺功三、米村優人

13:00–17:00
尿素結晶流し込み

12:00–13:00
昼食
＠京都大学 カフェテリアルネ

ミルク倉庫＋ココナッツ

13:00–15:00
什器・作品開梱

15:00–17:00
パネル作成

16:00–17:00
作品開梱

9:10–12:00
パネル
ポジション仮決め

10:30–12:00
アクリルケース開梱
アクリル吹き上げ

13:00–17:00
パネル制作、仮設置

2019.4.21
設営4日目

16:00–17:00 ハンドアウト用什器設置 +清水泰介、耕三寺功三

9:00–17:00 搬入風景撮影 守屋友樹、岡はるか

13:00–16:30 カッティングシート設置 大野高輝、須賀亮平、村上美樹

16:30–17:00 作業場整理、清掃

9:20–17:00 会場マップ作成 清水泰介、熊谷篤史

12:00–13:00 昼食 @京都大学 カフェテリアルネ

13:00–16:00 光学分析写真パネルカット、差し替え設置 +耕三寺功三

16:00–17:00 配線処理 耕三寺功三、米村優人

9:40–12:00 光学分析写真 位置決め +耕三寺功三

13:30–15:00 作品素材展示 +清水泰介

21:00 到着

10:10–11:30 作品吊り、展示ケースへ設置 +石井琢郎、米村優人

13:30–15:00 ショーケースガラス設置、ガラス吹き上げ +石井琢郎、米村優人

14:30–15:00 床置き作品設置 +石井琢郎、米村優人

10:00–10:10 三又組み立て +石井琢郎、米村優人、清水泰介

18:00 到着

9:00–9:20 トラック到着 作品積み下ろし

11:30–12:00 屏風状作品設置 +石井琢郎、米村優人

13:00–13:30 クレート片付け +石井琢郎、米村優人

13:30–17:00 ドローイング設置

9:40–10:00 クレート 開梱 +石井琢郎

木製ショーケースガラス外し +石井琢郎、米村優人

16:00–17:00 ショーケース作品設置

16:00–17:00 作品設置微調整

9:40–12:00 カッティングシート不足分印刷 +村上美樹

14:00–16:30 タープ解体、尿素結晶精製ブース片付け +耕三寺功三、清水泰介、米村優人、長門あゆみ

9:40–14:00 尿素結晶精製、流し込み +長門あゆみ

14:00–17:00 作品設置微調整 +長門あゆみ

13:30–15:30 設置作品解体、什器転倒防止用固定

13:00–14:30 キャプション設置

9:20–9:30 ラジオ体操 +全員

11:00–12:00 パネル設置、作品仮展示

15:30–17:00 作品設置微調整

9:30–9:40 作業場整理

9:40–11:00 パネル用どっこ設置、作品展示台固定

2019.4.22
設営5日目

9:00　10:00　11:00　12:00　13:00　14:00　15:00　16:00　17:00　18:00

2019.4.23
設営6日目

9:00–18:00
搬入風景撮影
守屋友樹、岡はるか

9:10–14:30
会場マップ作成
清水泰介、熊谷篤史

14:30–15:30
会場マップ印刷
清水泰介

9:10–12:00
ショーケース温湿度
管理打ち合わせ
＋岩﨑奈緒子

13:00–17:00
各作品メンテナンス、
監視マニュアル打ち合わせ
＋岩﨑奈緒子

井田照一

田口かおり

9:00–9:10
ラジオ体操
＋全員

12:00–13:00
昼食
＠京都大学
カフェテリアルネ

14:00–14:30
ライティング調整
＋伏見工芸

14:30–15:30
全体打ち合わせ

13:00–14:00
作品設置微調整

17:00–18:00
作品設置微調整

大野綾子

9:10–12:00
ドローイング設置
＋石井琢郎

15:30–17:00
光学写真、
シャーレ展示
＋耕三寺功三

15:30–16:00
ライティング調整
＋伏見工芸

加藤巧

9:10–14:30
テキスト設置

15:30–18:00
会場清掃
土方大、加藤巧、清水泰介

13:00–14:30
1F入口モニター、
パネル設置、配線処理

土方大

9:10–12:00
尿素結晶精製ブース
撤去、清掃
＋耕三寺功三、村上美樹、大野高輝

15:30–18:00
バックヤード整理

16:00–16:30
ライティング調整
＋伏見工芸

18:00
タイムラプス
撮影終了

ミルク倉庫＋ココナッツ

9:10–19:00
作品設置微調整

15:30–18:00
梱包資材整理、
メンテナンス用品整理

15:30–16:30
ライティング調整

9:00 | 10:00 | 11:00 | 12:00 | 13:00 | 14:00 | 15:00 | 16:00 | 17:00 | 18:00

9:00–12:00
作品設置微調整、
作品状態チェック
＋清水泰介

13:00–16:00
記者発表準備
プレゼン準備

16:00–17:00
記者発表

17:00–18:30
内覧会

9:00–12:00
バックヤード整理
＋耕三寺功三
作品メンテナンス

12:00–13:00
昼食
＠京都大学 カフェテリアルネ

展示風景

タイムライン

時間に触れるためのいくつかの方法

TIMELINE:
Multiple measures
to touch time

2019.4.24 WED — 6.23 SUN

京都大学総合博物館二〇一九年度企画展

井田照一

大野綾子

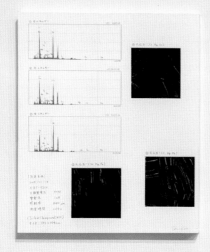

加藤巧

土方大

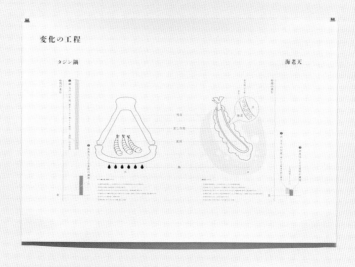

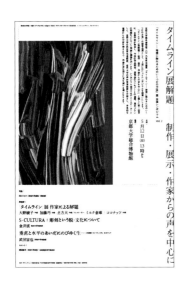

企画シンポジウム

シンポジウム vol.1

タイムライン展解題──制作・展示・作家からの声を中心に

2019年5月12日（日）
於：京都大学総合博物館

登壇者：

「タイムライン」展 作家による解題

大野綾子　加藤巧　土方大　ミルク倉庫＋ココナッツ

S-CULTURA：彫刻という脱−文化について

金井直（信州大学准教授）

垂直と水平のあいだにのびゆく生──井田照一の「タントラ」をめぐって

武田宙也（京都大学准教授／本展実行委員）

コメント：

岡田温司（京都大学教授／本展実行委員長）

司会：

田口かおり（東海大学講師／修復士／本展実行委員）

シンポジウム vol. 2

タイムライン展をふりかえる──現代美術の保存・修復・記録をめぐって

2019年6月8日（土）
於：京都大学総合博物館講演室

登壇者：

実験と体験 1983–2000 Sagacho Exhibit Space

小池一子（十和田市現代美術館館長／クリエイティブディレクター）

生産者たちの時間

住友文彦（アーツ前橋館長／東京藝術大学大学院准教授）

「タイムライン」展の時間軸：現在進行形の保存、記録の更新、予防的修復

田口かおり（東海大学講師／修復士／本展実行委員）

学芸員の領分

牧口千夏（京都国立近代美術館主任研究員）

司会：

岡田温司（京都大学教授／本展実行委員長）

関連企画として2回にわたりシンポジウムを開催した。「タイムライン展解題──制作・展示・作家からの声を中心に」と題したvol.1は、出展作家が集合し、今回の作品制作、展覧会コンセプトとの連関、展示プランの特徴などについて発表と議論を行った。後半はゲストスピーカーによる多角的な視野からの分析をふまえつつ、作家の声や語りに耳を傾ける場となった。

vol.2「タイムライン展をふりかえる──現代美術の保存・修復・記録をめぐって」では、はじめに岩﨑奈緒子（京都大学総合博物館教授／本展実行委員）より、展示の経緯についての挨拶があり、その後、登壇者による現代美術の展示、収蔵、保存、修復、アーカイヴなどに関する諸問題やケーススタディを中心に、議論の主題を広く設定しながら、「タイムライン」展の総括を行った。

ミルク倉庫＋ココナッツ《それらはしっかりと結ばれていて、さらに離れたキャビネットに閉じ込められています——それでも、物は動かされ、音楽は演奏されます。》2019

展示期間中の保守・保全

ミルク倉庫＋ココナッツ

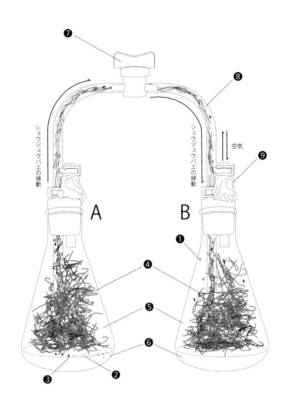

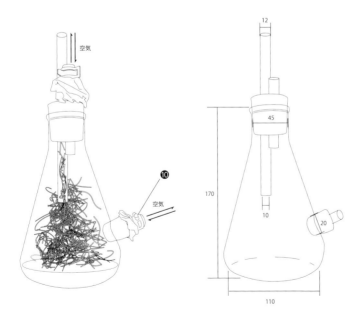

初期バージョン

運用期間：
2019年4月24日－5月26日

素材：
ガラス製三角フラスコ（500mL）
ゴム栓
PET管Φ12mm（内径Φ10mm）
ガーゼ
シリコンチューブ
PE製二方活栓

ブラッシュアップバージョン

運用期間：
2019年5月27日－6月23日

仕様：
初期バージョンのフラスコ背面にΦ20mmを開孔。さらにゴム栓、PET管（直径Φ10mm）にガーゼを充て、通気部分を増設

❶キイロショウジョウバエ（成虫）
❷キイロショウジョウバエ（幼虫／蛹／卵）
❸キイロショウジョウバエ（死骸）
❹木パッキン（足場）
❺ガラス製フラスコ
❻ポテトパウダー、乾燥ビール酵母、水、等（培地）
❼PE製二方活栓
❽シリコンチューブ（移動坑道）
❾通気孔
❿通気孔（増設）

ライフサイクル展示についての覚書

生体を展示すること──キイロショウジョウバエについて

本作（《それらはしっかりと結ばれていて、さらに離れたキャビネットに閉じ込められています──それでも、物は動かされ、音楽は演奏されます。》）は、事物における複数のアスペクトを併置するという作品であり、この中で、数あるアスペクトの一つとして「生命によるライフサイクル」を組み込んだ。

本作において、展示会期中にライフサイクルを刻むのは、キイロショウジョウバエとしたが、その選択理由は以下からである。

1　生物学分野で「モデル生物」（普遍的で比較的操作可能な生命現象）として用いられた史実を持つ点
2　1の「モデル生物」の特性である、短期間で世代をまたいで観察できる点、くわえて、生物自体が視認できる点

なお、キイロショウジョウバエの寿命はおおよそ2か月で、世代間隔は10日と短い。また一匹のメスは、1日に、50個前後の卵を産むことができる。成虫になった翌日にはもう卵を産み始めるので、約1年間で30近くの世代を重ねることが可能である。

培養ケース設計について

キイロショウジョウバエは、視認できるが、ライフサイクルという現象自体は展示において認識しにくい。

本作では、個別の生体ではなく、これらによる一連の生命現象（生→死→生）の循環こそが主眼であるため、この事象を認識できる装置（培養ケース）の設計が必要となった。

最終的に、この装置はパイプと活栓で双方に繋がるディプティクのフラスコからなる培養ケースとなった。

加えて後述のように、培養ケースは約3週間で更新する必要が出てきたので、本作においては、「初期バージョン」と「ブラッシュアップバージョン」の2種の培養ケースを制作した。

培養ケースを使った培養手順

培養手順は以下の通りである。

ア）フラスコAの培養ケースに第n世代のキイロショウジョウバエを入れる。
イ）約一週間後、A内の培地には卵や幼虫（第n+1世代）が存在する。
　　この時、活栓を開けると、第n世代のキイロショウジョウバエは、第n+1世代に侵食されていない培地のあるフラスコBへと誘引される。
ウ）n世代のキイロショウジョウバエがBへ移動したところで、活栓を閉じ、Bを入れ替える。
エ）約一週間後、A内では第n+1世代が成虫となる。

　　この時、活栓を開けると第n+1世代のキイロショウジョウバエは、あらたな培地があるBへと誘引される。
オ）n+1世代のキイロショウジョウバエがBへ移動したところで、活栓を閉じ、Aを入れ替える。
カ）以下より、［イ］の手順に準じ、繰り返される。しかし、AはBとなり、世代数が加算されることとなる。
　　つまり──約一週間後、B内の培地には卵や幼虫（第n+2世代）が存在する。この時、活栓を開けると、第n+1世代のキイロショウジョウバエは、第n+2世代に侵食されていない培地のあるフラスコAへと誘引される。──となる。

経過記録

2019年5月2日　担当：梶原あずみ
手順［イ］［ウ］を行う。特に問題なし。

2019年5月13日　担当：宮崎直孝
手順［エ］［オ］を行う。作業の際、発酵臭が認められ、白いモヤが見られた。

2019年5月18日　担当：坂川弘太
観測
白いモヤが見られ、一部のハエ（成体／幼虫）の死滅が認められた。

2019年5月27日　担当：宮崎直孝
バージョン更新、新設

2019年6月8日　担当：宮崎直孝
手順［イ］［ウ］を行う。特に問題なし。

2019年6月15日　担当：宮崎直孝
手順［エ］［オ］を行う。特に問題なし。

発酵臭／死滅についての推論─バージョン更新にあたって

今回の展示にあたっては、観者が作品に触ることを回避するため、培養ケースをアクリルの箱で囲った。

通気孔はあったものの、換気がされにくくなり、低酸素状態になったと考えられる（この推論は、同様の培養ケースにて、平行してアトリエにて管理していたハエは無事であった事実に基づく）。

なお、フラスコの縁に認められた白いモヤは、二酸化炭素状態において酵母の生成する「発酵生成物」だと考えられる（ちなみに、通常、ハエの培養において発生しやすいものは「青カビ」である）。

フラスコ内では、ハエのみならず、その餌であり目視できない酵母も呼吸するため、低酸素状態を引き起こしたと思われる。

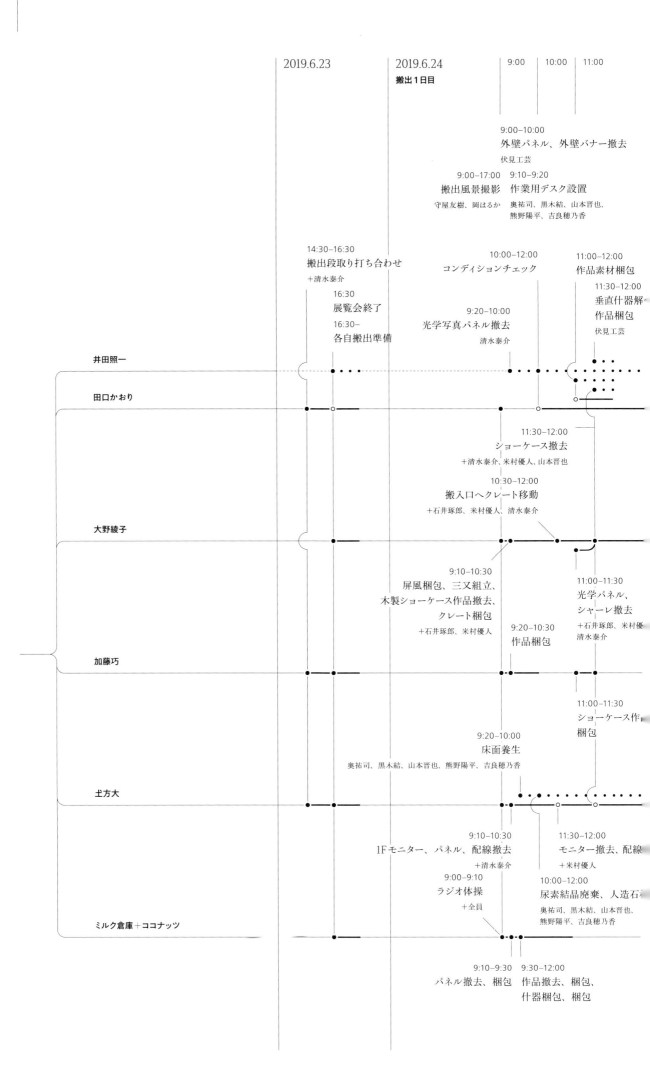

搬出

2019.6.23

2019.6.24
搬出1日目

9:00　10:00　11:00

9:00–10:00
外壁パネル、外壁バナー撤去
伏見工芸

9:00–17:00　9:10–9:20
搬出風景撮影　作業用デスク設置
守屋友樹、岡はるか　奥祐司、黒木結、山本晋也、
熊野陽平、吉良穂乃香

14:30–16:30
搬出段取り打ち合わせ　　　10:00–12:00　　　11:00–12:00
＋清水泰介　　　　　　　　コンディションチェック　作品素材梱包
16:30
展覧会終了　　　　　　　　　　　　　　　　11:30–12:00
16:30–　　　　　　　　9:20–10:00　　　　垂直什器解
各自搬出準備　　　　　　　光学写真パネル撤去　　作品梱包
　　　　　　　　　　　　　清水泰介　　　　　　　伏見工芸

井田照一

田口かおり

11:30–12:00
ショーケース撤去
＋清水泰介、米村優人、山本晋也

10:30–12:00
搬入口へクレート移動
＋石井琢郎、米村優人、清水泰介

大野綾子

9:10–10:30
屏風梱包、三又組立、　　　　　　　　　光学パネル、
木製ショーケース作品撤去、　　　　　　シャーレ撤去
クレート梱包　　　　　9:20–10:30　　　＋石井琢郎、米村優
＋石井琢郎、米村優人　作品梱包　　　　清水泰介

加藤巧

11:00–11:30
ショーケース作
梱包

9:20–10:00
床面養生
奥祐司、黒木結、山本晋也、熊野陽平、吉良穂乃香

土方大

9:10–10:30　　　　　　　11:30–12:00
1Fモニター、パネル、配線撤去　　モニター撤去、配線
＋清水泰介　　　　　　　＋米村優人
9:00–9:10　　　　　　　10:00–12:00
ラジオ体操　　　　　　　尿素結晶廃棄、人造石
＋全員　　　　　　　　　奥祐司、黒木結、山本晋也、
　　　　　　　　　　　　熊野陽平、吉良穂乃香

ミルク倉庫＋ココナッツ

9:10–9:30　　9:30–12:00
パネル撤去、梱包　作品撤去、梱包、
　　　　　　　　　什器梱包、梱包

12:00　13:00　14:00　15:00　16:00　17:00　18:00　　　**2019.6.25**　　　9:00　10:00　11:00　12:00　13:00　14:00　15:00
搬出2日目

9:00–14:30
搬出風景撮影
守屋友樹、岡はるか

9:00–12:00
仮設壁解体、照明撤去、
木製ショーケース撤去、
トラック積み込み
伏見工芸

13:00–14:00
コンディションチェック、作品梱包、鏡什器撤去
＋伏見工芸

15:00–15:30
照明撤去
伏見工芸

12:00–13:00
作品返却、
コンディションチェック
＠豊田市美術館
＋岩﨑奈緒子

15:30–17:00
作品返却準備
＋岩﨑奈緒子

8:30–9:30
美専車 作品積み込み
＋岩﨑奈緒子

15:00–15:30
全体打ち合わせ

9:30–12:00
移動
京都→豊田
＋岩﨑奈緒子

13:00–13:30
トラック到着、作品積み込み
石井琢郎、米村優人、清水泰介

16:00–17:00
会場清掃、ゴミ廃棄

14:00–15:00
パテ埋め、タッチアップ
＋清水泰介

9:00–10:30
自家用車作品積み込み

9:00–10:30
自家用車作品積み込み
＋米村優人

14:00–14:30
トラック積み込み

10:30–12:00
現場復帰確認
＋清水泰介、米村優人

14:30–15:30
挨拶

14:00–15:30
床養生撤去、ターポリン撤去、清掃
奥祐司、黒木結、山本晋也、熊野陽平、吉良穂乃香

13:00–13:30
搬入口へ人造石段ボール移動
奥祐司、黒木結、山本晋也、熊野陽平、吉良穂乃香

12:00–13:00
昼食
＠京都大学 カフェテリアルネ

15:30–16:00
搬入口へ作品移動
＋奥祐司、黒木結、山本晋也、熊野陽平、吉良穂乃香

9:00–10:30
ハイエース作品積み込み
＋清水泰介、米村優人

会場 ·························	京都大学総合博物館
会期 ·························	2019年4月24日(水)– 6月23日(日)
出展作家 ·····················	井田照一　大野綾子　加藤巧　土方大　ミルク倉庫＋ココナッツ
主催 ·························	京都大学総合博物館
共催 ·························	京都大学大学院 人間・環境学研究科　東海大学 創造科学技術研究機構
後援 ·························	京都府教育委員会　京都市教育委員会
企画 ·························	タイムライン展実行委員会
協力 ·························	イダショウイチスタジオ　KAYOKOYUKI　豊田市美術館
	株式会社 ニコンインステック
	東山 アーティスツ・プレイスメント・サービス（HAPS）
	株式会社 堀場テクノサービス　森絵画保存修復工房
助成 ·························	公益財団法人 花王芸術・科学財団　公益財団法人 朝日新聞文化財団
タイムライン展実行委員会 ·········	岡田温司　実行委員長／京都大学大学院人間・環境学研究科教授
	岩﨑奈緒子　京都大学総合博物館教授
	武田宙也　京都大学大学院人間・環境学研究科准教授
	加藤巧　美術家
	田口かおり　東海大学創造科学技術研究機構講師／修復士
	土方大　アーティスト／インストーラー
コーディネーター ················	清水泰介
デザイン／Web ·················	熊谷篤史
記録集編集 ····················	加藤巧　田口かおり　土方大　清水泰介　増田千恵
事前リサーチ、シンポジウム会場撮影···	タイムライン展実行委員会
映像記録 ·····················	守屋友樹
会場撮影 ·····················	守屋友樹　岡はるか
コンサベーション ················	田口かおり
ステートメント英訳 ···············	奥村雄樹　English translation: Yuki Okumura
	英訳校正：グレッグ・ウィルコックス　English proofreading: Greg Wilcox
Webサイト作家紹介英訳 ···········	司馬万里　English translation: Mari Shiba
設営協力 ·····················	大野高輝　小木曽護　奥祐司　長内祐子　魏魯陽　吉良穂乃果　熊野陽平
	黒木結　耕三寺功三　須賀亮平　高橋鈴奈　長門あゆみ　迎英里子　村上美樹
	森田明日香　山本晋也　米村優人　林文洲

※所属・役職は2019年当時

本展覧会を一巡すると、ところどころに空隙があることに気づく。

なるほど、印刷物等に明記されているように、本展覧会は制作者（アーティスト）、展示者（インストーラー）、修復士（コンサバター）、美術史家（アート・ヒストリアン）によって作り出されている。しかしながら、ここには展示全体を構成する展示企画者（キュレーター）が欠けている。展示企画者は、制作者が作り出したもの、修復士が保存・修復したもの、美術史家が調査研究したものを、展示者と共に実空間に落とし込み、そこに一つの文脈を作り出し場を運営する。ここで言う文脈作りとは、個別の作品単位ではなく、展覧会場全体における鑑賞者の解釈を方向づけし、各作品に対し一定の見方を促すことを意味する。つまり、キュレーターの不在とは、展覧会の構成要素を繋ぎ合わせる架空の眼差し、架空の語り手の不在でもある。

しかしながら、本稿はそこを批判したいわけではない。むしろ、展覧会全体を総覧し制御する者の不在が、本展においては有効に働いていると主張したい。特定の語りに集約されることなく、作品が、モノが、情報がそれぞれただ並置されている稀有な空間が生み出されていたのではないか。それは凸凹、ゴツゴツとしていて、空間に不統一な印象をもたらすかもしれない。しかし、その状況はひるがえってキュレーターの一元的な語りを逃れているとも言えよう。

ともあれ、結論を急ぐ前に、具体的に展示内容を確認して行こう。本展の大きな特徴として、作品を構成する素材や技法を科学技術を用いつつ、明らかにしている点が挙げられる。

例えば、展覧会の初めに展示されている井田照一の作品のいくつかには、各作品の顕微鏡写真、元素マッピング、斜光線写真、紫外線写真が添えられている。また、口紅からすっぽんの骨、砂といった作品の構成要素の原料も並ぶ。そして、極め付けは作品キャプションに記された豊富な素材名であろう。《なぜ落ちる 落下する穴 井戸に落ちる》については、「紙、炭、木灰、人灰、顔料、金、亀骨」と列記され、その多様さに驚かされる。光学装置を通じて露わになる作品の表層と深層、作家の手によって「表現」となる前の原材料、それらを描出し記述したキャプション。これらが会場内に布置され、作品を取り囲んでいるのだ。それゆえ、この空間に足を踏み入れた者は、鑑賞者の目のみならず、科学者の目、作り手の目、アーキヴィストの目というように、物を見るモードを随時切り換えながら進むことになる。

一方、分析結果の画像や、物理的な素材技法、文字情報を、そのまま引っくるめて自身の表現に取り込もうとする作家もいる。加藤巧である。彼は絵画作品のみならず、その分析結果の画像をも自身の作品として提示している。

いや、こうした姿勢自体を、絵画制作等の領域に収まらないコンセプチュアルな表現と捉える方が適切かもしれない。彼の目的は、絵画に含まれている情報を洗い出し、それを別の形態へと置き換えて保存することにある。例えば、絵画《To Paint #02》の横には、斜光写真を通じて《To Paint #02》を複数の筆触の痕跡へと置き換えた作品《「To Paint #02」を記述する》が展示されている。一方、《Pic-Cells》では、光によって退色した水彩画を、その変色した姿のまま顔料で再度描き直して別の絵画へと置き換えることがなされている。

《To Paint #02》と《「To Paint #02」を記述する》の間には、オリジナルの作品とその二次資料とまでは行かずとも、一定の高低差が感じられる。けれども、《Pic-Cells》では展示物の間のヒエラルキーは消滅し、一つの表現は別の媒体、別の技術へと変換可能となっている。つまり加藤は、「表現物」と「表現物を構成する情報」という異なる位相を接続し、さらに、「表現物を記述し、記録・保存する行為」と「表現物を制作する行為」を互換しているのだ。修復士の手つきと制作者の手つきがここでは交差している。

加藤の試みと比較すると、土方大の作品はより後戻りの効かない時間軸（タイムライン）に沿って展開されるように見える。尿素の結晶を用いた彼の立体作品は、展示開始から終了に向けて徐々に変化しゆく。

本展では、作家の手を越えて自律的に育つ作品《Artificial Garden》自体の展示に加え、本展全体の搬入・展示作業と、撤去・搬出作業の記録映像も公開し、制作者であると同時に展示者でもある土方の姿を紹介している。作品の変化を一定、促進しつつ制御する制作者としての土方と、不特定多数の人に対する流動性を残しつつその大枠を固めてゆく展示者としての土方は、決して矛盾する立場ではないことが分かる。

さらに、加藤や土方の作品から改めて気づかされるのは、科学的な物の見方は既に制作

ばらばらのままのモノと手、目について

Fumiko Nakamura

中村史子
愛知県美術館学芸員

行為の中に内在しているということだ。井田の展示のように、作家による作品と、科学者による分析結果が並置されるばかりでは、美的な表現行為と科学調査は全くの別領域のように誤解が生じるかもしれない。けれども、「主観的かつ感覚的で相対的な美」と「客観的で数値化可能かつ実証主義的な科学」という二項対立は実のところ架空のもので、加藤、土方の表現の内に近代科学に基づいた思考や技術は十分に蓄積され、それを彼らは意識的に用いているのだ。

さて、ここまで挙げた3名の場合、異なる立場（制作者、科学者、展示者・・・）の思考や手つき、眼差しが、展示という実空間において、時に参照関係を築き、あるいは作品において多重化されていることが分かった。しかし、そのように説明できない展示も本展に含まれている。大野綾子の展示を見てみよう。

大野は御影石や砂岩を彫り具象的な立体作品を作り上げる作家である。ただ、その具象性は、出展作品《植物と花（草）》に顕著なように、極めて記号的なイメージに依っている。その滑らかで簡略化された造形は、特定の植物を極限まで抽象化した成果ではなく、典型的な植物の像として最初から記号化されたイメージを扱うがゆえである。それゆえに、彼女の彫刻は、厚みや奥行きを持たない平面的な形を、三次元空間に無理やり出力させたかのような不自然さとユーモア、軽さが持ち味となっている。

本展では、これら大野の作品に加え、壁に彫刻の素材となる砂岩や御影石の分析結果が展示されている。しかしながら、その分析結果と作品との関係性は、井田の展示のように明確ではない。井田の展示では、分析画像と実作品、キャプションに書かれた素材・技法の情報を、鑑賞者は相互に参照し、その過程で、制作中の井田の思考や手の痕跡、モノからその痕跡を読み取ろうとする科学者の目の両方を追体験することができた。しかし、大野の展示では、石の詳細な構造を示す分析結果と作品の間を繋ぐ手がかりが、なかなか見出しづらい。

この戸惑いは、石を素材としない作品《水中のとき陸と私たち》があることで、一層強まる。素材である石に力点が置かれるのだろうという期待は曖昧にはぐらかされ、大野綾子という作家の表現の総体を見せることが優先されている●¹。

しかし、本稿の最初で述べたように、この違和感を私は重視したい。芸術表現として展示されたモノとその素材であるモノ自体の乖離にこそ意味があるのではないか。両者の位相はそもそも、離れており安易には架橋しえない。その当たり前の事実が、ここでは浮かび上がっている。

もしも表現の位相とモノの位相の隔たりを真摯に見つめない展示企画者であれば、つながっているようで実は別の水準にある両者の間を取り繕い、その断絶を何らかの語りで塗り固めたことだろう。しかし、本展はその愚を犯さず、美術や創造といった抽象的な営為とモノそのものの間に広がる亀裂を、極めて正直に開示している。モノは必ずしも、作者の感性や表現意図、鑑賞者の思考を投影させるためだけに存在しているわけではないのだ。

大野の展示を通じて図らずも、表現や美術の水準とモノの水準の隔たりが確認された。その当然の亀裂が逆照射するのは、展示企画者が両者を無理やり結びつけようとして陥りがちな欺瞞である。こうした展示企画者による過剰な接続の功罪は、けして私個人のうがった見方ではなく、本展においては作品の形をとって批判的に言及されている。ミルク倉庫＋ココナッツの展示がそれである。

ミルク倉庫＋ココナッツは、出展作品《それらはしっかりと結ばれていて、さらに離れたキャビネットに閉じ込められています――それでも、物は動かされ、音楽は演奏されます》にて、全く異なる性質の現象や事物を、一つの言葉を蝶番にしてつなぎ合わせている。例えば、「履歴の中抜き」として、鍾乳洞とキセル乗車（中間無札）を並置する、という具合である。オーソドックスな博物館の展示形式に則ることで、彼らのプレゼンテーションの荒唐無稽さが際立ち、相異なる事象同士を一つの文脈に落とし込むキュレーションという行為自体が孕む恣意性が強く意識される。ミルク倉庫＋ココナッツは、こうしてキュレーション自体を問い直すのである。

さらに、彼らの展示が奇妙な歪みを見せるのは、キュレーションや展示についてメタ的に問う出展作品内に、物理的に保存や展示が困難なモノも織り交ぜられている点だ。具体的には、握り寿司のプラスティネーションやショウジョウバエの生体展示などである。本展では、

●1　実際、屏風状の《水中のとき陸と私たち》があることで、大野の表現の特徴はよりよく浮かび上がる。彼女の作品の面白みは、簡略化された軽やかなイメージを重厚な石によって表現する、というイメージと素材とのギャップにはない。イメージの圧縮と、その折り畳まれたイメージの解凍、展開にあるのだ。

それら展示室に不向きなモノの展示を、保存技術、展示技術の革新として前向きに呈示している。つまり、ミルク倉庫＋ココナッツは、展覧会やキュレーションという営為に対し批評的に自己言及しつつ、一方で、保存修復の新たな方法の発明、達成を素直に喜んでいる。展示をめぐる二つの次元が整理されぬまま並置されているのだ。

　以上、出展作品を振り返りながら各展示の特徴について述べた。それによって、展覧会会場という同一空間内に、複数の相異なる文脈、次元がそれぞれ自律的に、別々に存在していることが、明らかになったのではないだろうか。表現者の制作行為の次元、モノの次元、それらを精査、言語化する情報の次元などがここにはある。

　繰り返しとなるが、通常の展覧会ではこれらを一つの文脈へと練り込むため、展示企画者がそれぞれの次元をすり合わせ、一定の語りへと組み込んでいく。しかし本展では、その展示企画者の役割は要請されず、作品を作る者、作品を調査し保存・修復する者、作品を展示する者、そして彼ら・彼女らの間にごろりと横たわるモノとしての作品に焦点が当たっている。そして、それらの間の架橋し難さ、埋めがたい亀裂が繰り返し顔を覗かせている。

　この亀裂の認識こそが作品に対峙する際に本当に必要となるのではないだろうか。事実、作品に向き合う行為は、常にその亀裂をどう捉えるかにかかっているからだ。モノとしてあらゆる変化に晒されている作品と、美学、美術史の中で語られる作品、展覧会会場で一定期間、物理的に展示される作品。同一の作品の中に潜在するこれら異なる水準をつぶさに見つめることから展示は始まる。実際、モノとしてあらゆる変化に晒されている作品は、静的な展示物としての作品というあり方と相反する。展示をすればするほど、作品は物理的ダメージや温湿度、照度の変化によって変容するリスクが高まる。あるいは、美学・美術史での語りにそわせようとするあまり、モノとしての作品の在り方を蔑ろにしないとも言い切れない。これら、時に相反する複数の水準が、一つの展示、一つの作品の中に立ち上がる。

　けれども、それらの間の裂け目を無理に埋めようとしてはいけない。相異なる次元の間を、何度でも往還することが、作品に対峙する際に求められるのだ。

　本展は、展示企画者による統合的な語りが不在のまま、成り立っている展覧会である。そして、だからこそ、キュレーションによる一元的な支配、制御、管理から、モノと行為が逃れられている。耳障りの良い一つのストーリーには回収しきれない、美的営為とモノと情報の関係が、本展では露わになったのではないだろうか。

オートバイオグラフィとしての作品

井田照一の芸術活動は、その多彩さによって知られる。たとえば版画においては、リトグラフ、シルクスクリーン、エッチングといったさまざまな技法を自在に用い、あるときにはハード・エッジ風の、またあるときにはポップ・アート風の画面を構成する。さらに、その作品世界は狭義の版画にとどまらず、木や石といった自然物を利用した「もの派」的なオブジェから多様な支持体にうつしだされた規則的なパターンで会場を埋め尽くすインスタレーションにいたるまで、ジャンルとしても幅広い。しかしながら、それらバラエティに富む作品群に一貫して指摘できるのは、ある種の端正なたたずまいや静謐さであり、あるいは作家の「情念」を周到に排した怜悧で飄々としたスタイルである。じっさい、この京都の作家と親交の深かった乾由明 (1927–2017) や中原佑介 (1931–2011) といった批評家たちがその井田評のなかでそろって口にするのは、彼の作品の「軽さ」の印象である。たとえば乾は、「井田照一の仕事を、初期から現在まで貫流しているのは［……］軽みへの追求であり、さらにその徹底化において作品がいかに成り立ち得るかということの、絶えまない問いかけであった」[1]とのべているし、中原もまた、井田作品は、色調はもとよりマテリアルのレベルにおいても独特の軽みを信条とするものである、という指摘をおこなっている[2]。さらにいうならば、そもそもこの「軽み」への志向は、彼が「版画」というジャンルを主たるフィールドに選んだ事実とも浅からぬ関係がある。というのも、井田は版画の美点を、それが油絵などと異なり、「余分な情緒感から抜け出しやすい」という特性に見ていたからである[3]。ともあれ、井田照一という作家をめぐってはこれまで、しばしば独自の「クールネス」が指摘されてきたことは事実だろう。

それに対して、本展の中心をなす「タントラ」シリーズは、こうしたある種の「クリシェ」からすれば、いくつかの点で異例のものとなっている。まず本連作は、部分的に版画の技法が用いられているものもあるが、基本的には版画作品というよりは絵画作品といったほうがふさわしい体裁をとっている。そのたたずまいは、初期の版画作品や自然物を使ったオブジェに見られたようなシャープさ、仕上げの周到さよりも、むしろ即興的な手仕事や試行錯誤の痕跡を感じさせるものとなっているのだ。また、使用される素材の多彩さは「タントラ」に限ったものではないが、注目されるのは、本シリーズにおいては、人毛や爪や体液、あるいは虫や小動物の遺骸や抜け殻、さらには食物といった「生々しい」有機物の使用が目立つ点である[4]。井田作品に登場する「もの」といえば、まず思い浮かぶのが、石、木、紙、ブロンズといった、比較的耐久性があり、どちらかといえば無機的な印象を与える物質である。それに対して「タントラ」では、よりエフェメラルで (いいかえれば経年変化しやすく)、またそれもあって有機物としての存在感を生々しく伝えるような物質がしばしば用いられている。さらに、「タントラ」の大きな特徴として、それが作家の「プライベート性」を強く感じさせるものとなっている点があげられる。連作を網羅的に実見調査した田口かおりによれば、それらの作品には、「井田が日常生活のなかで収集した石・砂・骨・羽や、画家本人の体液・爪・髪などが絵具に練りこまれたり、表面に張りつけられ」、また折々の心情を吐露したかのような言葉が裏面に書きこまれているものも散見されるという[5]。もとより作品は作家の生の痕跡という面を不可避的にもつが、井田の「タントラ」には、とりわけその凝集したありようを見ることができる。じっさい井田は、晩年のインタビューでこの「ライフワーク」をふりかえりつつ次のようにのべている。

> Tantraは自分の中にある、無限に変化していく自分を表わしたものである。日記みたいな形で、自分を確認するために必要な作業であった[6]。

本シリーズは、1962年という活動の最初期から、作家が死去する2006年までつづけられ、枚数にして402枚というおびただしい数が制作されるが、それはまさに、作家の生を克明に記録した「日記」あるいは「自伝」のようなものであった、というわけである。なお、この自伝的な性質にもかかわることだが、本連作には、ときにかなり直接的で生々しいエロスをモチーフとしたものが見られる。これもまた、エロスを感じさせるとしても間接的な仕方で、あるいはある程度「昇華」された形でなされることが大半であった他作品と異なる点だろう (そもそもシリーズ名となっている「タントラ」とは、性欲あるいは性的な営みを教義や儀式の中心に据えたインドの密教的な信仰を指す)。その意味で、「タントラ」シリーズにおける性的な側面の前景化は、その私的・実存的な側面の前景化と相即的なもの、あるいはその証左とみなすこともできる。

垂直と水平のあいだにのびゆく生——井田照一の「タントラ」をめぐって

Hironari Takeda

京都大学大学院人間・環境学研究科准教授／本展実行委員　武田宙也

●1　乾由明「風のイマージュ」『美術手帖』414号、美術出版社、1976年12月、115頁。

●2　『井田照一：Shoichi Ida Documents 1941-2006: Surface is the Between—Between Vertical and Horizon』阿部出版、2012年、107頁。

●3　吉竹彩子「井田照一——版画の思考」『井田照一——版画の思考』豊田市美術館、2004年、156頁。

●4　「タントラ」の使用素材については以下に詳しい。田口かおり「井田照一《タントラ》(1962-2006) の技法研究と保存処置」『東北芸術工科大学紀要』第24号、東北芸術工科大学、1–13頁、2017年3月。

●5　同書、8、13頁。

●6　『井田照一——版画の思考』、前掲書、8頁。

「生の美学」

さて、ここまで見てきた「タントラ」の主要な特徴、とりわけその性的なものの重視やオート
バイオグラフィとしての側面から、インドの密教的な信仰と並んで、あるいはそれ以上に想起
されるのは、古代ギリシア・ローマの「自己への配慮」と呼ばれる実践である。「自己への
配慮」とは、古代の人びとが日常生活のなかで自己との関係を問いなおすためにおこなった
諸実践であり、これらの実践を通じた自己への立ち返り（自己に「配慮」すること）は、古代人
が自己形成をおこなううえで重要な役割を果たしていた。「自己への配慮」にふくまれる実践
は多岐にわたるが、日々の暮らしをかえりみつつ書きとめられる日記や、あるいは性的な営
みといかにつきあうのかといった問題は、そのなかでも中心的なものとなっていた。

　この古代の「自己への配慮」を通じた自己形成に注目し、晩年をその研究に費やしたミシェ
ル・フーコー（1926–84）は、そこから「生存の美学」という特異な思想を練りあげることになる。
すなわち、「みずからの生を一個の芸術作品にする」というメタファーに集約されるような、
自己をひとつの作品としてつくりあげる、あるいは自己への働きかけを通じた自己の変容へと
むかう生の思想である。この「生存の美学」は、美学史の観点からは、19世紀以降のいわ
ゆる「生の哲学」に特徴的な美学的潮流（「生の美学」とでも総称できるようなそれ）に位置づける
ことができる。たとえばフリードリヒ・ニーチェ（1844–1900）によれば、作品を生みだすことは、
芸術家にとって自己創造の一環であり、したがってそこでは、生みだされた作品よりも創造
行為そのものが、あるいはそれを通じた芸術家の自己刷新ということが重要になる。あるい
はゲオルグ・ジンメル（1858–1918）は、芸術とは、絶えざる生成変化の途上にある生のプロ
セスから生みだされる形式であり、いわばその痕跡としての価値をもつと考えた。

　また、狭義の「生の哲学」以外でも、たとえば20世紀フランスの精神科医であるジャン・
ウリ（1924–2014）の創造論には、「生の美学」と同様、芸術における創造行為と自己創造と
を結びつけるような発想が認められる[7]。ウリは、とりわけ精神病者の創造行為をめぐるケー
ススタディから、芸術的創造をひとつの自己創造と規定している。曰く、「統合失調症者が
なんらかのものをつくるとき、なんらかのものを構築するとき、彼が構築するのは自分自身で
あるのだ」[8]というわけである。ウリによれば、精神病者における創造行為は、生＝病の痕
跡としての形態［form］を生みだすと同時に、それを通じて自己自身を新たに形態化
［formation］するための行為であった。癌を患っていた井田が、闘病生活のなかで日々臭
気や色調が変わる体液や身体片を作品に埋め込んだ「タントラ」もまた、その意味では彼
自身の生＝病の痕跡（形態）と見ることができるだろう[9]。ただし一方で、「Tantraは自分の中
にある、無限に変化していく自分を表したものである」との言にもあるとおり、彼が「タントラ」
の制作を通じておこなっていたのは、なによりもまず、ウリが「形態化」と呼ぶようなある種
の自己形成の営みではなかっただろうか。

形態化と痕跡

そもそも井田は、版画の本質をその「痕跡」性に見いだしていた。1979年に書かれた文章の
なかで彼は、版画を「作用［function］」と「効果［effect］」の接点と定義している。す
なわち版画とは、「垂直の時間の移動の圧力を受けつつ［……］その痕跡をほかの物質の表
面に残す接触関係の接点」であり、そうした「作用と効果との接点の表面」であるというの
だ[10]。あるいは92年のインタビューでは、「軌跡とはかつて存在したが、過ぎ去ってしまっ
た何かであり、人間の存在もそうした軌跡によって知覚されます」[11]としたうえで、「自分の
作品の中に、自分の行為の軌跡を少し残していきたい」[12]とのべている。この「自分の作品
の中に自分の軌跡を残すこと」は、「垂直と水平のあいだに、どのように自分の位置を描け
るか」[13]という風にいいかえられてもいるが、ここには、作品とは作家の生の痕跡であるとい
う基本的な認識を認めることができるだろう。ただし一方で井田は、そうした痕跡が、どこ
までいってもあくまで「匿名」のものでしかないとも考えている。

　　「自我」を残そうとは思いませんね。自分の名前さえなくてもいいような気がします。イ
　　メージを描くことを追求していくと、どうしても画家の個性の問題になってしまいます。
　　長い歴史の時間の中では、個人の名前などいずれ消滅してしまいますよ。自分の人生や
　　物語を知ってもらうより、垂直と水平のあいだにワナをしかけたいと思いますね[14]。

[7]　ウリの創造論について、よ
り詳しくは以下の拙論を参照のこと。
武田宙也「ジャン・ウリと自己のブ
リコラージュ的創造」『I.R.S. ―
ジャック・ラカン研究―』第18号、
日本ラカン協会、48–66頁、2019
年9月。

[8]　Jean Oury, *Création et
schizophrénie*, Paris, Galilée,
1989, p. 19.

[9]　田口かおり「井田照一《タ
ントラ》（1962–2006）の技法研究と
保存処置」、前掲書、9頁参照。

[10]　井田照一「物と物との接点
を表現」『美術手帖』457号、美術
出版社、1979年11月、210頁。

[11]　井田照一「垂直と水平のは
ざまに」『版画藝術』75号、阿部
出版、1992年2月、117頁。

[12]　同書、118頁。

[13]　同書、121頁。

[14]　同書、118頁。

　　垂直と水平のあいだに現出する匿名的な生の痕跡、それこそが井田にとっての版画ということになろう。それでは、「タントラ」はどうであろうか。井田自身が「日記みたい」と語るとおり、やはりそこには、他の作品と比べるならば、井田の「個性」がいくぶんか直接的な形であらわれているように思われる。「自分の人生の姿を形どるもの」、「自分の人生を図解したもの」●15 という本人の言葉はもとより、作品に織り込まれた、有機体としての井田の物質的断片の数々——田口によれば、それはいくつかの作品を物理的に著しく不安定化させ、脆弱化させもしたという——は、そうした読解を後押しするだろう。「日記」的というところからただちに思い浮かべられるのは河原温（1932–2014）の日付絵画や絵葉書などを用いたシリーズであるが、本作の特異な構成や、作家の生涯とともに成長しつづける「ライフワーク」的な性質はさらに、作家が収集したがらくた、それから家族や友人・知人の愛用品や身体片があちこちに埋め込まれたクルト・シュヴィッタース（1887–1948）のメルツバウをいささか想起させるところがある。とはいえ、「タントラ」から感じられるのは、かの「エロティックな苦悩のカテドラル」●16 に見られたような記念碑性というよりも、むしろずっと私秘的な印象である（その意味では、井田も深く敬愛したマルセル・デュシャン〔1887–1968〕が、恋人を想って自身の精液で描いたという《罪のある風景》〔1946〕との近接性こそが語られるべきかもしれない）。

　　井田は「タントラ」を「フォーメーション」と呼び、「その人それぞれの、ある決まったフォーメーションに日々描きつづけていくという修行は昔から仏教やヒンドゥーにある」●17 とのべている。「タントラ」は井田にとって、日々の営みであると同時にひとつの修練でもあった、というわけである。これはまた、「タントラ」が古典古代の「自己への配慮」と通じるものと感じられる所以ともなっている。さらに注目されるのは、井田が「フォーメーション」と「フォーマット」のちがいを強調している点である。彼によれば、フォーマットが「あくまでも形に過ぎない」のに対し、フォーメーションとは「お経をよみながらお経をつくっているようなもの」●18 であるという。これは、先ほどのウリの言葉を用いるならば、「形態化」と「形態」のちがいととらえることもできるだろう。すなわち「タントラ」とは、痕跡としての形態を生みだしながら、たえずみずからを形態化してゆく営みであって、あるいはこの形態化の営みそのものをひとつの軌跡としたものである、というわけである。「surface is the between — between vertical and horizon」とは井田の標語としてつとに知られたものだが、じっさい彼はこの「表面＝あいだ」を固定的なものではなく、はっきりと「可動的」なものとしてとらえていた。

　　　　表面は毎日毎日変化しています。かたちもモノと空間の接点である表面にあり、可動的なものです。［……］表面に誰かが触れて、変化して、痕跡が残る、これがいわば版画なのです●19。

「ひとつの生」の形態化

これと同様の作品観は、たとえば社会人類学者ティム・インゴルド（1948–）の近著に見ることができる。『メイキング』のなかでインゴルドは、アルフレッド・ジェル（1945–97）的ないわゆるエージェンシー理論からは距離をとり、むしろ「物質を、世界の生成のために能動的に参与する一員としてあつかう」ような「生命の理論」の立場に与しつつ次のようにのべている。

　　　　芸術作品の生命は作品の素材に根ざしている。なぜならすべての作品は、いまだかつて真の意味で「完成した」ことはなく、生きつづけているからだ●20。

　　この、生成変化しつづける作品——いいかえれば「形態化」の途上にある作品——を前提としてインゴルドは、芸術的創造を、「運動覚（キネステジア）」としてのアーティストと物質の流れとの「照応（コレスポンダンス）」——「相互作用（インターアクション）」ではなく——という観点からとらえなおしてゆく。彼によれば、「アーティストの役割は事前に浮かんだアイデアを実現させることでもなく、作品を生みだす物質の力や流れに従うこと」●21 にほかならないという。こうしてインゴルドは最終的に、「つくること（メイキング）」を、次のような詩的な表現によって定式化するにいたる。

　　　　世界とコレスポンドすることは、あるひとの感覚的な意識と、生気にあふれた命の流れやほとばしりが混ざり合うことである。このような結合では感覚と素材が互いに結びつ

●15　『井田照一——版画の思考』、前掲書、8頁。

●16　中原佑介「シュヴィッタースとメルツ」『シュヴィッタース展——都会でひろったDADA』西武美術館、1983年、21頁。

●17　『井田照一——版画の思考』、前掲書、8頁。

●18　同書、9頁。

●19　井田照一「存在の〈間（あいだ）〉にあるメディア」『版画藝術』90号、阿部出版、1995年12月、130頁。

●20　ティム・インゴルド『メイキング——人類学・考古学・芸術・建築』金子遊・水野友美子・小林耕二訳、左右社、2017年、198頁。

●21　同上。

き、撚り合わさって、恋人たちの視線のようにお互いの区別がつかなくなってしまう。このような結合こそ、つくることの本質なのである●22。

●22　同書、223頁。

　上記のような作品観および制作観は、形態を「モノと空間の接点である表面にあり、可動的」なものと語る井田を理解するうえでも示唆的だろう。というのも、「表面に誰かが触れて、変化して、痕跡が残る」ことこそ井田にとっての「つくること」であるとするならば、それはインゴルドのいう「世界とのコレスポンド」という様態から、それほど遠いところにあるとは思われないからである。じっさい、彼の作品を「もの」とのかかわり方に注目しつつ通覧してみれば、そこにはまさに「物質の力や流れに従うこと」というのがふさわしい制作態度が一貫してうかがわれるし、また、作品に残される生の痕跡を「匿名的なもの」ととらえる発想もまた、この観点から理解されるべきだろう。すなわち、アーティストの生（あるいは個体性）を過度に特権化することなく、作品を構成する一要素として、（生命体を含む）他の「物質の力や流れ」といわば同一平面上に置くような発想である。井田にとってみれば、「運動覚」としてのアーティストもまた、垂直と水平のあいだに生起する──本展のタイトルを用いるならば、「タイムライン」上に生起する──森羅万象の、それら変転する運動の一要素にすぎないのである。

　このような見地から、生の形態化としての「タントラ」にいまいちど目をむけてみれば、それは、作家と世界が「撚り合わさった」、ある種の結合体の形態化を、いいかえれば垂直と水平のあいだに見られる「ひとつの生」の形態化をこのうえなくよくあらわしたものと見ることもできるように思われる。とりわけ、本連作を構成する作品群の不安定性・脆弱性──それはまさに、上記の結合によって引き起こされた、あるいは促進されたものである──は、作家と世界が織りなす表面＝あいだの「タイムライン」上での可動性を、すなわち形態化の途上にある生＝痕跡という理念を、このうえなくよく体現するものとなっているのではなかろうか。

　こうして井田の「タントラ」シリーズは、まずは作家が生涯にわたって書きついだユニークなオートバイオグラフィとして、すなわちひとつの実存的なプロフィールとして大きな意味をもつ。井田は、このオートバイオグラフィックな実践を通じてみずからを形態化しようとしたのであって、それはフーコーの語る「生存の美学」、すなわち「自己への配慮」を通じた自己形成にも比すことのできる営みであった。ただし、その作品観や制作観──さらには世界観──に照らしてみるならば、「タントラ」は、井田個人の生の痕跡という意味をもつだけのものでないことは明らかである。京都の作家は、幼少の頃から「木がまっすぐ地に立ち、河は高い所から低い所へと流れ、動物は水平に歩き、紙は燃え、熱く、氷は冷たく、というふうにごくあたりまえの状況に、たとえようのない感心をもつことがしばしば」であったと告白しているが、長じてからはそれが、「万物が重力の作用によって垂直に落下し、ただ物と物との質量の異なりにより、一見机の上の本が静止している」●23ことへの感心に変わっていったという。井田が「作用と効果の関係」とよぶのは、究極的には、こうしたいわば世界の秩序のようなもののことであり、「そういうエネルギーのバランスの接点に表面がある。だから表面は刻々と動いていて、変わっていくものなんです」●24とのべている。井田にとっての版画、ひいては芸術が、かくのごとく変転する世界をまるごと定着させようとする意志につき動かされたものであったとすれば、その作品を、個体としての作家の生の痕跡としてのみとらえるのでは不十分であるだろう。そうではなく、むしろそれを、作家自身もそこに含まれるような、形態化のうちにある世界全体の生の痕跡ととらえてみたらどうだろうか。この、いわば「ひとつの生」の形態化という理念から出発して井田芸術にアプローチしなおすならば、自己の物質的断片とみずからが出会った物質たちの断片を撚りあわせつつ紡がれたオートバイオグラフィにほかならない「タントラ」には、その芸術理念のあらわれを、とりわけ直接的な形で認めることができるように思われる。

●23　井田照一「物と物との接点を表現」、前掲書、207頁。

●24　井田照一「垂直と水平のはざまに」、前掲書、121頁。

何の変哲も無い、およそどこにでもありそうな丸い壁掛け時計が二つ、まるで互いに寄り添うかのようにして、ピッタリとひっついて横に並んで壁にかかっている。その二つの時計は、一見したところ同じ時を刻んではいるのだが、よく眺めると、秒針が微妙にずれているようにもみえる。もちろん、それぞれに取り付けられた電池の寿命にも違いがあるから、このずれ（タイムラグ）は、ごくごくわずかずつではあるにせよ、日々広がっていくことになるだろう。

これは、キューバ出身のアメリカのミニマリストにしてコンセプチュアル・アーティスト、フェリックス・ゴンザレス＝トレスの《無題（完璧な恋人たち）》（1991年）と題された作品である。惜しむらくも1996年に38歳でエイズの犠牲になって夭折したこの作家は、本作において、同性のパートナーとのあいだで共有されてきた親密な時間をさりげなく打ち明けると同時に、しかし、二人のあいだにはおのずといかにしても埋め合わせることのできない溝、同期されえない個々の時間性があることを、ややためらいがちに表わそうとしているように思われる。

とはいえ、そんな作者ゴンザレス＝トレスの個人的な事情など知らなくても、この作品を前にするとき、わたしたちは、二つのごく平凡な壁時計のあいだに刻印される些細な時間のずれのうちに、わたしたち自身と他者、あるいは世界との関係を、知らず知らずに投影させて見ているのではないだろうか。自分は、どこかちょっと他人や世間からずれているのではないか、と。シェイクスピアの『ハムレット』の名高いセリフに借りるなら、この世はどこかで時間のタガが外れているところがあるのだ。それは、おそらく誰もが日常的に抱いている感慨でもあるだろう。

この作品は、丸い複数の時計がモチーフという点で、シュルレアリスムの画家サルヴァトーレ・ダリの有名な《記憶の固執》（1931年、ニューヨーク近代美術館）を想起させるところもなくはない。しかも、キューバ出身でスペインに一時期住んだこともあるゴンザレス＝トレスのことだから、その大先輩の画家を意識していただろうことは十分に考えられる。とはいえ、夢や無意識や幻想の非日常的な時間性に遊ぼうとするダリとは異なって、後輩は、何ら気をてらうことなく、ほとんどストレートで即物的なまでに、わたしたちのごくありきたりな時間の体験を、二つの丸い時計で表現しようとするのである。

しかも、隣接する二つの円あるいは輪という形状に、このアーティストは特別の思い入れがあったようで、同じ1991年に同じ《無題》というタイトル──彼の作品の多くがこの題名なのだが、たいていサブタイトルがカッコつきで添えられていて、今度は新たに「（ダブル・ポートレイト）」とある──で、比較的大きな紙（縦67、横96センチメートル）に直径40センチメートルほどの微かに触れ合う二つの円を金色のインクで描いて、それを何枚も積み上げ、一枚ずつ観客に自由に持ち帰ってもらうというインタラクティヴな作品を発表している。ここで円は、完璧な──つまり無償の──愛を象徴しているのだろうか。

さらに加えて、ゴンザレス＝トレスは、鏡や金属のリング、蛍光灯などを使って二つの円を組み合わせる作品をいくつか制作しているが、それらの円もまた、個人的でありながら同時に匿名的で非人称的なものでもあって、性別や国籍や年齢を問わず、観客は誰でも自分（たち）をそこに重ねて見ることができる。イタリアの哲学者ジョルジョ・アガンベンの言葉を借りるなら、ここに出現してくるのは、民族や国籍や階級や職業など、しかじかのアイデンティティに縛られることのない、「クオドリベト（誰であれ、何であれ）」の共同性である。しかも「リベト」は非人称で「気に入る」という意味。つまり、誰であれ望まれ愛される存在なのだ。

とはいえ、何であれ、異なる二つのものがいかに協調しようとするとしても、あるいは、いかに同期し合おうとするとしても、そこにはおのずとずれ、すれ違いが生じてくる。わたしたちは、大なり小なりこのずれを意識して、そのことをむしろ尊重しながら、時間のなかを生きていく。

時計というありふれた既製品を素材（マチエール）──ここにはもちろんマルセル・デュシャンのレディ・メイドの美学が生きている──をもって、ほとんど字義通りに時間というテーマに焦点を合わせることで、手段（技法）と目的（コンセプト）をリテラルに合体させようとしたこの作品は、そんなわたしたちの、他者との親密にしてかつ疎遠な、あるいはもっと正確にいうなら、親密でありたいと望みながらも、どこかで疎遠にならざるをえないのっぴきならない関係のあり方を、そっと暗示しているように思われる。

100年で1センチメートルしか成長しないようなグリーンランドのコケ類、チリ北部の砂漠に自生するヤレータ、樹齢1万3千年のオーストラリアのユーカリの木、ナミビアの砂漠のウェルウィッチア、等々。これらはいずれも、何千年、何万年もの時を超えてたくましくもひそやか

作品のなか／としての時間

京都大学大学院人間・環境学研究科教授／本展実行委員長

Atsushi Okada

岡田温司

に生きつづけてきた生物たちを、美しくも崇高な映像でとらえた若い女流アーティスト、レイチェル・サスマン（1975年生）の写真集『この世でいちばん寿命の長い生き物たちThe Oldest Living Things in The World』（2014年）に収録されている画像の数々である。その先例は、たとえば1940年代のアンセルム・アダムスの白黒写真にたどれるとしても、アートとサイエンスが幸福にも合体したサスマンの写真からわたしたちが受け取ることができるのは、それら被写体からにじみ出る、人間の時間性をはるかに超えた自然の営みの根気強い永続性と、おごることのない気高さである。

　アガンベンの弟子でもあるイタリアの若い哲学者、エマヌエーレ・コッチャの含蓄豊かな表現に借りるなら、「植物は世界に在るもののうち、最もラディカルで、最も範列的な形態である。植物について問うとは、世界に在るとはどういうことか理解することにほかならない。植物は、生命が世界と結びうる最も密接な関係、最も基本的な関係を体現している」（『植物の生の哲学——混合の形而上学』嶋崎正樹訳）のである。

　さらに今日、地質学的な時間としての「ディープタイム（深い時間）」というコンセプトが、改めて注目されるようになっていることを、忘れずに付言しなければならないだろう。この概念は、18世紀のスコットランドの地質学者ジェームズ・ハットンが最初に提唱したもので、その後20世紀になって、アメリカのナチュラリストでノンフィクション作家のジョン・マクフィー（1931年生）の『ベイスン・アンド・レンジ』（1981年）や、数々の翻訳で日本でもおなじみの古生物学者スティーヴン・J・グールドの『時間の矢・時間の環——地質学的時間をめぐる神話と隠喩』（渡辺政隆訳）などを経由して、今日に至っているが、ここでもアートとサイエンスが幸運にも互いに踵を接している。たとえば、15人のアーティスト——そのなかにはレイチェル・サスマンもいる——が参加して、ワシントンの国立科学アカデミーで開催された展覧会『ディープタイムを想像するImagining Deep Time』（2014-15年）は、その象徴的なひとつである。

　このように、「ディープタイム」をめぐって、アートとサイエンスのあいだで交わされている近年の興味深い対話の試みは、もちろん、オランダの大気化学者パウル・クルッツェンが2000年に提起した新たな地質年代の概念「アントロポセン（人新生）」とも無関係ではありえない。科学であれ芸術であれ、そして根本にある哲学はもとより、いまや大きな発想の転換を迫られているのは、人間を秤の基準にした時間の捉え方なのである。『トム・ソーヤの冒険』で名高い作家マーク・トウェインは、早くも1903年のエッセイ「地球は人類のためにつくられたのか」において、仮に地球の年齢をエッフェル塔にたとえるとしたら、人類の時代は、その尖塔の頂上のペンキの極薄の厚みほどでしかないだろう、といったというが、これはかなり具体的で機転の利いた比喩である[1]。ちなみにエッフェル塔は、1889年のパリ万博に合わせて完成されたばかりだったから、そのことがこのたとえ話の引き金になっているのだろう。

　さらに、レイチェル・サスマンに加えて、カナダの写真家エドワード・バーティンスキー（1955年生）や、もっと若い世代のヴィンセント・ラフォレット（1975年生）などのスケールの大きい作品もまた、「アントロポセン」の議論抜きに考えることはできない。

　しかも地質学では最近、カレンダーにある年月日という短い単位ではなくて、「永遠」という意味さえもっている、より長い時のスパンとしてのギリシア語「アイオーン」の時間性のうちに人間を位置づける、「タイムフルネスtimefulness」という新造語まで出現している[2]。古代のグノーシス主義において、「アイオーン」とはまた、複数存在している「高次の霊」のことでもある。ちなみに、フランスの高名な哲学者ジル・ドゥルーズが『意味の論理学』において、「時間の永遠真理」としての「アイオーン」を、通常の時間「クロノス」に対比させたことも記憶に新しいところだろう。

　一方、生物学ではまた、個体発生における各種器官の発生のタイミングや発生速度の遺伝的変化に関連して、「ヘテロクロニー（異時性）」という概念が提唱されてきたが、これを芸術にゆるやかに応用して、近年、単線的で歴史主義的な時間概念を克服し刷新する「ヘテロクロニック」な美術史なるものが、新しい唯物論や思弁的実在論の潮流とも交差しつつ提起されてもいる。その代表は、『視覚の時間——歴史のなかのイメージ』のキース・モクシーである[3]。

さて、ここまで見てきたように、ゴンザレス＝トレスの作品が、「親密な時間」あるいは「内密の時間性」と呼びうるものだとするなら、レイチェル・サスマンらの作品は、「深い時間

[1]　J. Talasek, *Imagining The Unimaginable: Deep Time Through the Lens of Art* http://www.cpnas.org/exhibitions/imagining-deep-time-catalogue.pdf

[2]　Marcia Bjornerud, *Timefulness: How Thinking Like a Geologist Can Help Save the World*, Princeton University Press, 2018

[3]　Keith Moxey, *Visual Time: The Image in History*, Duke University Press, 2013

deeptime」あるいは「充満した時間性timefulness」という語で形容できるように思われる。前者がより個人的で人間的な時間性だとすると、後者はむしろ地質学的で宇宙論的ですらあるような時間性であるともいえるだろう。その意味で両者は、きわめて対照的な時間の概念をそのうちに孕んでいるのだが、非人称的で匿名的な生命の記録であるという点では、いみじくも共通している。そして、この二つの時間性をその作品のうちに合体させているのが、管見によれば、ほかでもなく、本展覧会『タイムライン』の起点となる井田照一の《タントラ》のシリーズなのではないだろうか。

　1963年に着手され、晩年の2006年まで制作されつづけた全402枚の和紙作品からなるその連作は、まさしく半世紀近くにも及ぶ井田照一の生の記録である。その困難きわまりない修復に当たるとともに、本展覧会の発案者のひとりでもある田口かおりの詳細な調査報告によると、井田のマチエールは、絵具のほか、イカスミや金泥、ビールなどの酒類、果汁や植液、さらに体液など、きわめて多岐にわたるという。そこにはまた、次第に病魔に侵されていく彼自身の尿や汗、精液や皮膚、体毛などが埋め込まれているものも少なくない。そればかりか、井田が国内外の旅行先で集めてきた、世界各地の石や砂、木片や灰、動物の骨や糞、鳥の羽など、自然界にある多様な無機物と有機物の断片がコラージュのように埋め込まれているという（田口かおり「井田照一《タントラ》(1962-2006) の技法研究と保存処置」、『東北芸術工科大学 紀要』第24号、2017年）。ここにおいて、個と宇宙とが、ミクロコスモスとマクロコスモスとが、紙片の上で合体している。

　つまり、《タントラ》が体現するのはまさしく、「親密な時間」にしてかつ「深い時間」、「内密の時間性」にしてかつ「充満した時間性」でもあるのだ。しかも、その「親密な時間」は、「井田照一」という固有名詞の単一性をはるかに超えて、非人称的な「深い時間」の「アイオーン」へと確実につながっている。最先端のサイエンスが「アントロポセン」や「ディープタイム」に注目するよりもずっと前から、この異色のアーティストは、死へと向かうみずからの生の時間のリズムを、地球と宇宙の久遠の時間のリズムと共振させていたのである。

　本展覧会『タイムライン』に集った若い気鋭のアーティストたち、大野綾子、加藤巧、土方大、ミルク倉庫＋ココナッツは、それぞれに異なる素材と手法、そしてコンセプトを駆使して、「親密な時間」と「ディープタイム」という二つの極のあいだを自在に往来することで、独自のやり方で井田照一の《タントラ》に応答しているのだが、それらの仔細については、わたしが駄文を書き連ねるよりも、各作家と修復家・田口かおりの渾身の言葉に委ねるに越したことはないだろう。

　この短文を締めくくるにあたって、最後に、もうひとり触れておきたいアーティストの作品がある。それとは、ポーランド人の画家ロマン・オパルカ (1931–2011年) が、1965年より最晩年にいたるまで止まることなくつづけた、常に同じサイズ (196×135cm) のカンヴァスに左上から右下に向かって「1」から順番に白色で数字を描いていくプロジェクト、「OPALKA 1965/1 − ∞」の制作である。右下の最後に数字が記されると、次のカンヴァスに移って、つづく数字から、ふたたび制作が続行されることになる。

　最初は黒い地のカンヴァスであったが、1968年からは支持体の黒に1パーセントずつ白を加えて、灰色から限りなく白色に近づいていく背景に数字を描きつづけていく。こうしてついには、肉眼では白にしか見えない地の面の上に、白い数字が並んでいくことになる。完成されたカンヴァスの数は全233点、最後にオパルカが記したのは、亡くなる少し前の2011年9月19日のことで、その数字は——意外にもむしろ少ないように思われかもしれないが——「5,607,249」であったという[4]。

　この黒から白へ、換言するなら、闇から光へと向かう過程は、逆説的なことにも、生から死へと向かう時間の流れでもある。画家が、「死へ向かう存在」としての人間というハイデガーの哲学的キャッチフレーズのことをどこまで意識していたかどうかは定かではないが、たしかに、オパルカの制作と作品は、「死」へと狙いを定めていたように思われる。細い絵筆で記された数字は、その色の濃淡もまちまちで、微妙にブレたりずれたりしているから、まるで生そのもの暗示するかのように、エフェメラルでありつつも、無限のヴァリエーションに開かれている。

　とはいえ、画家が生涯を捧げたこのプロジェクトにおいて、向かう先にある無限大とは、まぎれもなく死にほかならない。オパルカにとって、生とは死のことであり、その逆もまた真である。生と芸術制作とが分かちがたく結びついているという意味ではさらに、アガンベンのいう〈生の形式forma-di-vita〉——生きているという事実とその様態ないし形式とが切り

● 4　"Roman Opałka Official Website"
http://www.opalka1965.com/fr/index_fr.php?lang=en

離しえない在り方——を当てはめてみることもできるだろう。

　オパルカにおいても、井田照一の場合と同様に、わたしたちは、個と普遍、一人称と非人称、「親密な時間」と「ディープタイム」とを切り離して考えることはできない。あるいは、ひとつの生＝作品のなかで両極がショートしているともいえるだろう。

　芸術の永遠性、あるいは時間や歴史を超越した芸術作品という理想は、ロマン主義が抱いてきた尽きせぬ夢で、わたしたちの多くはいまだに、響きがよくて人口にも膾炙したそうした美しい言い回しに、心動かされずはいられないのかもしれない。だが実のところ、今も昔も、芸術作品は本来まさしく時間とともにあるばかりか、そのうちに時間を内包し、時間それ自体をかたちにさえしているものなのではないだろうか。

東海大学創造科学技術研究機構講師／修復士／本展実行委員

Kaori Taguchi　田口かおり

ありとあらゆる作品は、変化し続けている――「タイムライン」展における予防的修復

「タイムライン」の語が瞬間的に私たちの中に呼び起こすイメージは、どのようなものだろうか。線（ライン）の響きから瞬時に脳裏に浮かぶのは、一本の線上に刻まれる出来事や、一方向へと流れていく時間など、過去から未来へと連綿と続く矢印状の何かであるかもしれない。しかし「タイムライン」の語が日常に入り込むようになり、手のひらのディスプレイ内で自分の時間軸と他人の時間軸が並び、前後し、遅延し、同期し、順次更新されるという現象が起きている今、時間の知覚方法は線から面へ、一定方向へ流れるものから同時多発的なものへと変容しているように思われる。それは、時に速くも遅くもなり、震え、静止する。この、接触と分離を繰り返しながら伸縮を繰り返し層上に蓄積される時間軸は、実のところ、そのまま現代美術の作品群にも見いだすことができるものだろう。

現代美術の修復を「素材の終わりなきポリフォニーとの戦い」と呼びならわしたクラウディア・コットラーの言説を引用するまでもなく、近現代になって美術の世界に訪れた素材と技法の多様化は、作品の生を自在に変容させてきた[1]。とりわけ、フィルム、ビデオ、コンピュータ媒体の作品など、ハードウェアに関して代替機器への置換が必須であり、保存修復が困難な現代美術のジャンルの筆頭として「タイムベースト・メディア time-based media」が挙げられるようになって以降、私たちは、作品内外の時間（タイム）をめぐる問題について、改めて検討を求められるようになった。とはいえ、「タイムベースト・メディア」についての定義、すなわち「変化しやすいさまざまなメディアを用いた美術作品」の妥当性については、今一度、国を超えた丁寧な再考が必須であり、その保存をめぐる方法論の検討の場では、限定的な事例研究を超えた、ある種の俯瞰的な眼差しが求められるように思われる[2]。何故なら、作品が「モノ」としての側面を有して立ち現れ、我々が生きる空間の中に置かれている以上、あらゆる作品は「変化しやすさ」を免れ得ないのであり、「時間に根ざしていない Non time-based」作品もまた、存在し得ないからである。

ありとあらゆる作品は、時間に晒され、変化し続けている。

本展の参加作家と企画者のあいだで共有されていたのは、このように、「時間のなかで静かに動き続けている」芸術作品が、実のところ何によってどのように成り立っているのか、その実態に改めて注視するという姿勢であった。個々の作品の「モノ」としての性質――素材や組成と言い換えてもいいかもしれないが――を丁寧に洗い出していくことで、作品の「生」の在り様と時間が作品に及ぼす（あるいは作品が時間に及ぼす）変化の様態を浮き立たせることができると考えたのである。実際のところ、「タイムライン」展において展開された個々の作品の時間軸（タイムライン）は、一方向へ線上に流れることなく、時に作家による介入や展示替え、作品情報の更新を経ながら撹拌され、伸縮し、振動し続けた。時に可視化が困難なこの「震え」を仔細に観察し、記録し、公にする作業は、「複雑で混乱したモザイクのように」「同じ瞬間に混在している異なる集合」としての現代美術の時間軸を浮き彫りにする手立てとなった[3]。

刻々と変化を続ける作品の痕跡や情報を拾い集める際の手法として本展覧会が採用したのが「保存・修復的見地」であり、「予防的保存」の考え方である。「予防的保存」とは、イタリア近代を生きた美術批評家チェーザレ・ブランディが1956年に至るまで温めてきた概念であり、ここではイメージとしての、そして物質としての作品の保全を目指して行なわれるありとあらゆる処置が想定される。その範疇には、作品に関する文献学的なデータの収集から、将来的に予見される危険の除去、好ましい状態の維持まで多くのレベルの介入が肩を並べる。「タイムライン」展では、作品を構成している素材をすべて表記することから、作品の物理的な組成を示す映像や光学写真を作品と並置する展示構成、搬入出の映像記録や作品のハンドリングマニュアルの作成、展示条件やインタビューの公開まで、多岐にわたる方法を用いて作品の生と情報を採譜し、「予防的に保存」することを試みている。

各作家について採用した記録の採譜の方法は、それぞれに異なる。近年設立された韓国現代美術ネットワーク（INCCA Korea）も強調するように、今日、各国において現代美術の保存や修復に携わる者たちがとりわけ関心を寄せるのは、存命の作家たちが使用素材の aging すなわち経年変化についていかなる意見を有し、情報を提供し、どのような未来を見晴らすのか、という点である。1990年に創設した ADP（The Artists Documentation Program）、2012年から NY を拠点に活動する VoCA（Voices in contemporary art）など、作家の声の聴取に積極的に取り組み、修復家、キュレーター、科学者が公開討議を通して、作品の保存と収蔵、あるいは再展示の可能性について検討する場は徐々に拡大している。「タイムライン」展は、共同調査や討議を重ねるなかで、いかに情報を収集蓄積し公開するのかを決定し、作品において何が残され何が失われていくのかを見極め、その判断基準と合わせて得られた情報

2019年10月1日発行の『国立国際美術館ニュース』234号に掲載された記事を大幅に加筆修正しました。

●1　Cottrer, Claudia. "Promote the Memory of the Future: Contemporary Art and its Conservation" in *Conservazione dell'arte contemporanea temi e problemi*, P. Iazurlo ed, Saonara: Il Prato, 2010, p. 140.

●2　Time-based media の修復については以下を参照。「タイムベースト・メディアを用いた美術作品の修復／保存のガイド」http://www.kcua.ac.jp/arc/time-based-media/?page_id=8

●3　ジョージ・クブラー『時のかたち――事物の歴史をめぐって』中谷礼仁、田中伸幸翻訳、鹿島出版会、2018年。

を保存し公にしていく一事例としても位置付けられている。

　「タイムライン」展があえて行わなかったことについても、断っておかなくてはならないだろう。本展は、現代美術の展示や保存修復の場で頻用される二つの語、すなわち、「インスタレーション」と「ミクストメディア」を使用せずに組み立てられた展覧会である。この判断は、双方の語が、その利便性から空間の中に設置されるありとあらゆる作品、あるいは何によって構成されているか判別が困難である作品すべてに対して、無批判に応用される傾向にあるのではないか、との危惧に端を発するものである。1950-60年代以降、作品の素材や外観が多様化するのに伴い現れた屋外展示やパフォーマンス、一回性を旨とする作品群は、永久に同形を保ち展示され続ける未来を想定しない「仮設」という形式を取り入れた。ただし、ミロスワフ・バウカをはじめ、おそらく自身の作品が保存可能でありなおかつ再展示可能である性質を理由に「インスタレーション」の呼称を拒否する作家が少なからず存在する事実に鑑みるなら、空間の中に設置（＝インストール）される作品をすべからくインスタレーションと呼び習わす姿勢を一度担保する、という試みは、少なくとも、「保存」を軸に設定している本展においては有効であるように思われた。

　個々の作品について何が仮設であり何がそうでないのか、何が保存可能であり何が不可能なのかを見極めること。空間に接続されてからの作品のみならず、制作の段階から、つまり空間の中にインストールされる以前から以降までの「生」の軌道に満遍なく目配りをしながら検討する、という挑戦は、結果的に、作品の在り様を「ミクストメディア」の一語で片付けず「組成」からあぶり出す――つまり、作品が何によって物理的に体をなしているのかを明示する、という基本方針へと連結していくことになったのである。

　「タイムライン」展のアーカイヴは、作品同様、動き続けている。未来において、本展の情報源に誰かがアクセスし、作品の「生」をめぐる議論が多方向へと膨らむのであれば、「タイムライン」展のタイムラインは作品を取り巻くそれと同様、多様な形をとりながら伸び広がり続けるといえるだろう。「芸術作品の指定や普及に加え、未来の文化を侵害せず、余分なものを付加せずに作品を確かに保存するすべてのプロセスもまた、芸術批評である。それゆえ、保存や修復もまた批評なのだ[4]」とブランディは断言する。

　「タイムライン」展が、現代美術の展覧会として批評の対象でありながら、記録すべきものをめぐる批評としての役割をも同時に果たそうと試みた企画として参照されるのであれば、望外の喜びである。

●4　Brandi, Cesare. *Carmine o della pittura*, Torino: Einaudi, 1962, p. 164.

井田照一

1941年京都府生まれ。1965年、京都市立美術大学（現：京都市立芸術大学）西洋画科修了。1968年毎日フランス留学コンクールで大賞を受賞し、パリに留学。1970年から74年にかけてはニューヨークに滞在し、各国で個展を開催するとともに、東京国際版画ビエンナーレ展、パリ国際版画ビエンナーレ展、ノルウェー国際版画ビエンナーレ展などに出品。帰国後も世界各地の版画展に出品し国際的に活躍。イメージとそのイメージが描かれる場の接点である「表面」に着目し、「Surface is the Between──表面は間である」というコンセプトを掲げた上で、様々な版画技法を駆使し数多くの作品を制作し「表と裏」の両義性を、色やかたちといった要素により表現しようと試み続けた。1986年、日米文化交流名誉賞をロバート・ラウシェンバーグと共に受賞。1989年、サントリー美術館大賞展大賞を受賞。2004年、紫綬褒章を受章。2006年、65歳で歿。

大野綾子

1983年埼玉県生まれ。彫刻家。日常の風景や行為からのイメージなど、人々の生活に潜むあらゆる事象を形におこしている。思い描くイメージと石という物質との調和とバランスを考慮し、独特の「かたち」を獲得していく中で、現代における石の彫刻のあり方を模索している。第7回大黒屋現代アート公募展」大賞受賞（2012）、個展「さかなとして浸かる」（2013／板室温泉大黒屋／栃木県）を開催。近年は個展「さかなのような人」（2018／KAYOKOYUKI／東京都）、「所沢ビエンナーレ［引込線］2017」（2017／旧所沢市立第2学校給食センター／埼玉県）などがある。

加藤巧

1984年愛知県生まれ。美術家。14–15世紀の絵画技法家・チェンニーノ・チェンニーニの『絵画術の書』の研究を起点とし、現代につながる材料／メディウム史を紐解きながら絵画材料研究と絵画制作を並行している。代表的な発表として、「World Event Young Artists」（2012／英国・ノッティンガム）、「Seen from a Vehicle」（2015／フィンランド・イイ）、「作法のためのリマインダ」（2015／奈良県「奈良町家の芸術祭・はならぁと」今井町エリア担当キュレーター、作品制作）、「ARRAY」（2016／the three konohana／大阪府）などがある。

土方大

1989年愛知県生まれ。アーティスト、ディレクター、インストーラー。2011年、金沢美術工芸大学彫刻専攻卒業。現在、秋田公立美術大学大学院助手。気温、湿度、光などの外的要因によって形態を変化させるインスタレーション作品などを制作している。また、スペース運営や展覧会企画、プロジェクトの運営をしながら、インストーラーとしても芸術祭や展覧会などの作品設置も携わる。代表的な発表として、「クロニクル、クロニクル！」（2016–2017／CCO／大阪府／ディレクター）、「向三軒両隣」（2017-／秋田県／ディレクター）、「虹の麓」（2014／名古屋市民ギャラリー矢田／愛知県／企画出品）などがある。

ミルク倉庫＋ココナッツ

7人の異なった職能（電気設備、造園などの土木系技術や、建築、デザインなど）を複合体として含みこんだアーティストユニット。人間とモノ、あるいはそれらと技術の関係に可塑性を見出し、社会へ新たな思弁性を与える技術開発や実験などを制作として行う。代表的な発表として「アートプログラム青梅──存在を超えて」（2012／東京都）、「無条件修復 UNCONDITIONAL RESTORATION」（2015／東京都／企画）［以上ミルク倉庫名義］、「家計簿は火の車」（2016／3331 GALLERY／東京都）、「清流の国ぎふ芸術祭 Art Award IN THE CUBE 2017──身体のゆくえ」（2017／岐阜県美術館／岐阜県）などがある。

作家略歴

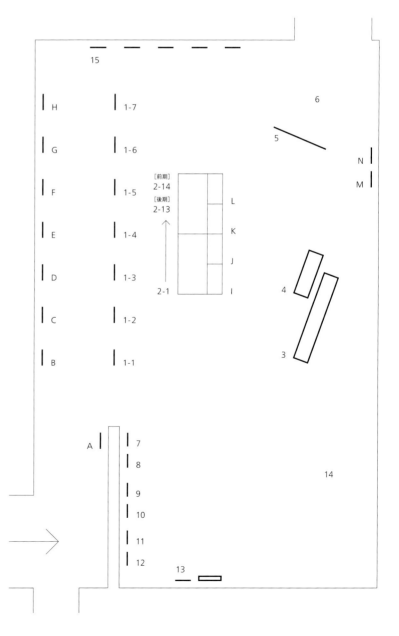

15

H   1-7   6

G   1-6   5

F   1-5   N
                                                        M
           [前期]
           2-14
E   [後期]   L
           2-13
D   1-4   K

           1-3   J   4

C   1-2
                     I   3
           2-1
B   1-1

A   7

     8

     9

     10   14

     11

     12

          13

大野綾子

3 ねがう人、立てる人
2017｜1300×3600×600 mm｜砂岩

4 植物と花（草）
2012｜1300×1800×600 mm｜砂岩

5 水中のとき陸と私たち
2019｜1800×2300×350 mm｜鉄、木、紙、ポスターカラー、アクリル等

6 さかなとして暮らす
2017｜180×1600×1400 mm｜御影石

M 大野綾子作品に関する分析画像、岩石サンプル
細粒石英砂岩

N 大野綾子作品に関する分析画像、岩石サンプル
白雲母普通角閃石黒雲母花崗岩（御影石）

加藤巧

7 To Paint #02
2018｜440×364 mm｜木材、亜麻布、石膏地、顔料、アルデヒド樹脂（81）

8 「To Paint #02」を記述する
2019｜440×364 mm｜Photoshop加工した斜光写真、インクジェットプリント、グロスラミネート

9 To Rub #04
2018｜440×364 mm｜木材、亜麻布、石膏地、顔料、アルデヒド樹脂（81）

10 「To Rub #04」を記述する
2019｜440×364 mm｜紫外線写真、インクジェットプリント、グロスラミネート

11 To Paint (heavy metal) #01
2019｜440×364 mm｜木材、亜麻布、石膏地、顔料、アクリル樹脂（Praloid B72）

12 「To Paint (heavy metal) #01」を記述する
2019｜440×364 mm｜元素マッピング・RGB合成画像、インクジェットプリント、マットフレーム、グロスラミネート、カーボン、鉛筆（協力：株式会社堀場テクノサービス 久保田健司）

13 Pic-Cells
2019｜250×500 mm / 256×128 pixel（5枚組）｜元素マッピング・RGB合成画像（上からR：カリウムーG：コバルトーB：鉛、R：鉄ーG：クロムーB：鉛、R：鉄ーG：水銀ーB：カルシウム、R：錫ーG：水銀ーB：カルシウム、R：カリウムーG：コバルトー B：チタン）、インクジェットプリント、グロスラミネート（協力：株式会社堀場テクノサービス、久保田健司）
2019｜330×180 mm｜Waterford水彩紙、アラビアゴム、顔料（セピア、ビスタ、竜血、雌黄、インディゴ）
2019｜50×100 mm（5枚組）｜Waterford水彩紙、アラビアゴム、顔料（セピア、ビスタ、竜血、雌黄、インディゴ）、キセノンアーク灯光照射（上から20時間、40時間、60時間、80時間、100時間）
2019｜50×100 mm（5枚組）｜木材、亜麻布、石膏地、顔料、アルデヒド樹脂（81）
2019｜26.8MB｜CD-R

土方大

14 Artificial Garden
2019｜100×4000×4000 mm、サイズ可変｜尿素結晶、人造石、ターポリン

ミルク倉庫＋ココナッツ

15 それらはしっかりと結ばれていて、さらに離れたキャビネットに閉じ込められています──それでも、物は動かされ、音楽は演奏されます。
They are bound together securely, then locked in their remoter cabinets — and yet things are moved, music is played and so forth.
2019｜1950×900×600 mm×5、サイズ可変｜台に乗った2つの事物、合成紙にインクジェットプリント、その他、が5セット

タイムライン ── 時間に触れるためのいくつかの方法
TIMELINE: Multiple measures to *touch* time

編集 ……………………… 「タイムライン ── 時間に触れるためのいくつかの方法」プロジェクト アーカイヴ制作チーム
デザイン ……………………… 熊谷篤史
発行日 ……………………… 2021年1月9日
発行所 ……………………… this and that　〒479-0866　愛知県常滑市大野町7-75-1
印刷 ……………………… 株式会社 文方社